ZUI
最世文化

CRITICAL

『鬼山缝魂』

『吉尔伽美什』

『幽冥』

CRITICAL

『西流尔』

『漆拉』

『银尘』

特蕾娅』

临界 爵迹

郭敬明 著

PRODUCER _ JIN LIHONG LI BO JING M,GUO
CHIEF EDITOR _ CHEN XI ZHUANG NING / CONTRIBUTING EDITOR _ HEN HEN [FROM ZUI] / VISION ART _ ZUI Factor [zui@zuifactor.com]
COVER ART _ ADAM.X MINT.G [FROM ZUIFactor] / TYPESET ART _ ZHANG QIANG [FROM ZUIFactor] / ILLUSTRATION _ WANG HUAN [FROM ZUI]
MEDIA COORDINATOR _ ZHAO MENG / PRINTING MANAGER _ ZHANG ZHIJIE
INTERNET SUPPORT _ SHANGHAI ZUI [WWW.ZUIBOOK.COM]

郭敬明
出道十周年
纪念作品

神话传说里，全黑眼球者，代表已死之人或者失去灵魂者

目

录

第十三章

聚魂式

黑色的岩石仿佛巨大怪兽的牙齿，
错乱而锋利地沿着海岸线突兀耸立。
巨大的暴风撞击着大海，
掀起黑色巨浪，
轰然拍碎在岩石上，
变成四散激射的混浊泡沫。

【西之亚斯蓝帝国 · 雷恩海域】

黑色的岩石仿佛巨大怪兽的牙齿，错乱而锋利地沿着海岸线突兀耸立。

巨大的暴风撞击着大海，掀起黑色巨浪，轰然拍碎在岩石上，变成四散激射的混浊泡沫。

特蕾娅黑色雾气般的柔软袍子，在风里翻飞，猎猎作响。她的瞳孔在忽明忽暗的光线里，发出精湛而纯澈的光亮，眼眶里面看起来像转动着几把白森森的匕首。

站在她对面的神音，此刻也从刚刚的震惊里恢复过来，她脸上的神色也渐渐拢了起来，变成冬日里宁静冰冷的湖泊。

她们两人中间，站着高大英俊的霓虹。

他并不知道发生了什么事情，也不知道即将发生什么事情。他仿佛只是一团散发着热力的炉火一样，朝气蓬勃地站立在寒冷的天海之间。单纯而年轻的面容，此刻正面对着神音，炽烈的爱慕和雄性的霸气，把他衬托得仿佛一个无辜卷进杀戮战场的俊美天使。

特蕾娅一边眯起眼睛，一边敏锐地感受着神音身体里魂力的流动，白色的雾气在她瞳孔里翻涌不息，“啊……真是奇迹啊……灵魂回路在重新建立、分支、修复、完善，逐渐趋向完美……仿佛分流出无数崭新的江河，将肉体重新切割编织……这……真是一件艺术品啊！”她出神地望着神音，双眼里一片白色的风暴，“……每一条灵魂回路的分支和重组，都带来了崭新的能力，也带来了对水元素更精准地控制。以前灵魂回路里的缺陷和弱点，都随着每一次不同的攻击而逐渐地完善起来……你啊，就像是一个天神创造出来的怪物啊。哦不，应该是天神创造出来的噩梦，呵呵，呵呵……”

神音冷冷地看着特蕾娅，“说起来，你不也是个怪物么？”

特蕾娅脸颊上泛出一抹桃花般的嫣红色，有点儿害羞又有点儿欣喜地低着头，但是配合着她眼睛里那骇人的苍茫混浊，就显出一种扭曲的怪异感，“嗯，你说得对，我也是。”她抬起头，冲着神音身后遥远的地方，轻轻地抬起她那纤细苍白的手指，“那边又来了两个，平时呢，他们还算不上什么，可是在这么巨大的一片海洋上，他们两个真的可以说是能呼风唤雨呢。据我所知，这片海域下面的魂兽数以千万计，更何况，最下面还有那个‘玩意儿’……”

神音回过头去，空茫的黑色岛屿上，一个人都没有，远处的天空上，飓风撕扯牵动着无数黑压压的云。乌云翻涌奔流，如同在头顶呼啸着的黑色大海。隐约沉闷的雷声和闪电深处，完全感觉不到一丝魂力的气息。

神音回过头，看着瞳孔渐渐清澈起来的特蕾娅，心里的恐惧越来越深。她知道，特蕾娅能够成为目前王爵里唯一的女爵，并且执掌着最重要的天格，她的魂力肯定不容小视。但是神音从来都没有想过，一个人对魂力的感知精准度，可以到达如此登峰造极，甚至说是骇人听闻的地步。

特蕾娅笑盈盈地朝神音走过去，抬起手，抚摸着神音娇嫩得仿佛花瓣般的脸庞，靠近她的耳边，柔声说：“别费劲了，以你对魂力捕捉的能力，如果他们不使用魂力的话，就算他们快到你跟前了，你也感觉不出来的……来的人，你之前还刚刚追杀过，不过被她跑了。对，就是五度使徒，鬼山莲泉。不过呢，这一次你要对付她，可就不像之前那么容易了。她刚刚从魂塚冢里拿取了自己的魂器，而且感觉上，威力还不小呢。并且，你还不知道五度使徒的天赋吧？呵呵……在这片大海上，你有得好受了。”

特蕾娅眼睛转了转，像是突然想起什么一样，“哦，对了，和她一起来的，还有她的王爵。哎呀，这下可怎么办好啊，你身上应该是背负着要杀戮鬼山莲泉的使命吧？可现在她和她的王爵都在，你一个人，不知道，会不会死哦。”

神音侧过脸，看着特蕾娅，“你怎么知道我要杀鬼山莲泉？”

特蕾娅好像有点儿不高兴、又有点儿幸灾乐祸地抱怨说：“哎呀，使徒就是使徒，总要给你们解释很多东西。你的杀戮命令来自于幽冥对你的命令，而幽冥的杀戮命令，又来自于白银祭司通过天格发布的红讯，而天格所有的讯息呢……”特蕾娅把她纤纤的食指转了个方向，指着自己的脸，“不都是全部来自于我么？”

“幽冥知道鬼山缝魂和鬼山莲泉来这个岛么？”

“这个啊……你就自己问他吧。”特蕾娅抬起白色混浊的双眼，脸上是茫然而又妩媚的诡异表情。

神音心里一冷，抬起头朝特蕾娅背后望过去，翻涌的浪花水汽里，一个穿着黑色长袍的修长身影格外迅捷地朝这边逼近，虽然动作看起来缓慢而又优雅，但是却如同一道黑色的闪电，一晃就到了眼前。

斜飞入鬓的浓密眉毛，碧绿色的瞳仁，刀锋般薄薄的笑容充满了杀戮的邪气，袒露着的胸膛结实而又饱满，古铜色的皮肤散发着剧烈的性欲和霸气。

幽冥轻轻地笑了笑，站到特蕾娅身边，望着神音，用低沉的声音说：“我不来，等会儿你怎么死的都不知道。”

神音慢慢地弯下膝盖，跪了下来，“王爵。”

幽冥看着面前下跪的神音，没有说话，半晌，斜了斜嘴角，“你还知道我是你的王爵啊。”

特蕾娅微笑地看着面前的这两个侵蚀者，心里怀着一种看好戏的心情。因为作为王爵的幽冥来说，显然，他并不清楚在这段时间里，神音承受了多少【伤害】，而那些伤害已经将神音身体内部的灵魂回路重建修缮得日趋完美，可以说，现在的神音，几乎等于一个低位的王爵了。

而同样的，作为神音来说，她似乎也低估了前代侵蚀者幽冥的可怕。他对世间所有拥有魂印的生物的屠杀从来就没有停止过。他的魂力到底到达了多么骇人的高度，可能只有他自己知道。特蕾娅心里很清楚，就算是对魂力拥有最极限感知能力的自己，能感知到的，都只是幽冥表层的一部分魂力而已。她一直深信，幽冥真正的实力，其实一直都隐藏着没让人发现，或者说，能够发现的人，必须以付出生命为代价，也就是死。

至于特蕾娅自己……她笑了笑，对幽冥和神音说：“能看到你们两个联手杀戮，真是难得的运气啊，亚斯蓝领域里，好久没这样热闹过了。不过呢，我不得不提醒你们，五度王爵和他的使徒，在深渊回廊或者这片海域等类似的地方，只要周围有大量的魂兽，你们还是当心点儿好……”

神音面色一寒，“他们的天赋是……”

特蕾娅微笑不语，转过头看着幽冥，脸上带着点儿幸灾乐祸的微笑。幽冥眯着他狭长的眼睛，碧绿色的眸子闪出精湛的寒光，“五度王爵的灵魂回路，能在极大的面积内催眠驾驭魂兽。而且，这片海域都是水元素的介质，他能够轻易地制作出大型的阵，在这种阵里，他能驾驭的魂兽数量会成几何倍数地翻涨，并且这些魂兽的能力也会大幅度地增加，也就是说，我们要打败他和鬼山莲泉，就需要先打败这一整个海洋里的魂兽……”

“怎么会……这样……”神音嘴唇变得苍白一片。她从来没有想过，自己的手下败将鬼山莲泉，一个小小的五度使徒，在海洋上，竟然有如此巨大的摧毁力。神音突然想到了什么，抬起头对幽冥说：“可是，你不是有死灵镜面么？只要你的魂力高于对方，那完全不值得害怕啊……”

神音的话被特蕾娅一阵银铃般的笑声打断，神音抬起头，望着特蕾娅。特蕾娅轻轻按着被海风掀起的裙摆，遮掩着裙下若隐若现的诱人春光，她看着神音，温柔地说："死灵镜面对魂兽所投影出来的，依然是魂兽，依然会被五度王爵催眠，你用死灵镜面投影出一大堆对手，岂不是自找死路么？"

"那，能对鬼山莲泉和鬼山缝魂直接使用死灵镜面投影么？"神音问幽冥。

"可以是可以……"幽冥面无表情地说，"不过，投影出来的也只是两个具有五度王爵和使徒魂力级别的傀儡而已。"

"也就是说，"特蕾娅脸上挂着一副看上去忧心忡忡的表情，但在神音眼里，却充满着嘲笑，"被投影的【镜原体】的天赋、魂器、智慧，等等，这些都是不能被复制的，投影出来的【死灵体】，就是一具没有思想的尸体而已，从某个意义上来说，等于另一种魂兽罢了，搞不好鬼山兄妹连傀儡都能催眠，那可就麻烦大了。"

幽冥和特蕾娅的面容，在渐渐暗淡的天光下，慢慢沉进一片灰黑的暮色里。整片黑蓝色的大海，剧烈而缓慢地起伏着，像要吞噬掉整个天地。

脚下黑色的岛屿，仿佛一只在海里挣扎的弱小动物一样，发出惨烈的呼吸和哀叫来。

【西之亚斯蓝帝国・雷恩海域】

苍蓝的天空上，一团巨大的白色光芒仿佛流星般呼啸着，朝着这个海洋中的黑色岛屿降落。无数拉长的白色光芒，仿佛千万缕游魂一般，尾随在这团流星的背后，在天空中吹开无数发亮的光晕碎片。

尖锐的风声呼啸着，朝岛屿的地面上降落，当那团巨大的星辰般的光晕仿佛陨石般砸落在黑色的地面上时，整个白色的光团突然碎裂伸展开来，万缕白色光芒飞快地旋转游动，一只巨大的白色翼鸟从白色光芒里旋转显形——闇翅，它仿佛一座小山般的庞大身躯，在显形后一个转眼的瞬间，又化作成千上万片发亮的羽毛，如同被风眼吸纳着一般，狂风暴雨地卷动回莲泉耳朵下方的爵印里。

爆炸的光芒瞬间消失了，整个辽阔的黑压压的天海之间，只剩下鬼山缝魂和鬼山莲泉两个迎风而立的身影。天地间一片怆然的寂静。黑色的星空下是一望无际的海域，莲泉的心里也充满了这种微茫的渺小之感。贵为使徒的自己，在庞然的天地之间，又算得了什么呢？

鬼山缝魂仿佛战神般的铠甲，在暮色里发出暗青色的光芒来，鬼山莲泉的裙袍被海风卷动着，发出猎猎之声，炽烈的刚硬和华丽的柔美，交相呼应出异样的美感。

“到了？”鬼山莲泉问。

“到了。”鬼山缝魂的面孔有着仿佛风雪吹刻出的坚毅。

“六度王爵西流尔就在这个岛上？”鬼山莲泉闭上眼睛，尽力感知着这个岛上的魂力变化。她微微皱着眉头，仿佛对自己所感知到的情况充满了疑惑。

鬼山缝魂问：“你感应到了什么？”

鬼山莲泉睁开眼睛，脸上充满了迷茫而又略微恐惧的表情，她张了张口，想要说什么，但却欲言又止，仿佛她即将说出口的话，连她自己都觉得荒唐。

鬼山缝魂仿佛已经知道她要说什么一般，对她点点头，脸色沉重地说：“没关系，你感应到什么，说来我听听。”

鬼山莲泉吸了口气，说：“虽然我不擅长感应魂力，但是从我所感应到的情况来看，这座岛屿上的魂力显然非常庞大，从魂力强度来说，绝对接近王爵级别，甚至是超越王爵魂力级别的庞大。但是，很奇怪的是，我却完全感应不到魂力的来源是哪个方向，感觉像是被魂力包裹着，正处在魂力的中心，按这个道理来说，西流尔王爵应该就站在我们面前才对……但……”鬼山莲泉看了看周围，苍茫的天地间，一个人都没有。她没有再往下说，因为，她心里突然产生了一股毛骨悚然的感觉。

鬼山缝魂像是知道她脑子里在想什么一样，对她说：“你的这种感觉很对，因为我们现在，就正站在永生王爵的身上，这整座岛屿，都是他的躯体。”

“什……么？”鬼山莲泉难以相信自己的耳朵。

鬼山缝魂没有说话，而是轻轻地扬起了自己的手，他在空气里朝地面上用手划出一道弧线，仿佛一把无形的刀刃一般，地面爆炸出一道被刀砍出的裂缝来，黑色的碎石四散激射。“你看地面裂缝的深处。”鬼山缝魂指着刚刚爆炸出来的裂缝说。

碎裂的岩石缝里，此刻正汩汩地浸染出黑红色的血液来。仿佛是地下的泉水一般，缓慢地涌动着。同时，血液在不断地凝固，那些爆炸开的石块又缓慢地合拢、归位，如同人体肌肤的伤口一般愈合了起来。

鬼山莲泉看着面前不可思议的诡异场面，问：“这到底是怎么回事？”

鬼山缝魂抬起头，目光里的深沉仿佛是卷动的黑海，“十七年前，西流尔接到白银祭司的命令，前往这个岛屿，他所奉命的内容，就是尽他最大的努力，将自己和这座岛屿合二为一，从而保护这个岛屿安全无恙。”

“这个岛屿很普通啊，整个雷恩海域上有无数这样的岛屿，为什么需要牺牲一个王爵，来保护它？”

“它当然不普通，否则西流尔怎么会心甘情愿地将自己囚禁在这里，将自己的血肉和这个岛屿的岩石互相融合兼并。‘那个’白银祭司只是告诉我来这里寻找西流尔，但他还没有来得及告诉我为什么要来寻找西流尔，也没有告诉我这个岛屿到底蕴藏着什么秘密，就死了……”

“你说的白银祭司，就是深渊回廊里救出来的那个小孩子？”鬼山莲泉问。

“是的……”

“……可是，你不是说他死的时候……那样的死法……他真的是白银祭司么？”鬼山莲泉鼓起了勇气，小声地问。

鬼山缝魂闭上眼睛，脑海里仿佛闪电般地又划过深渊回廊里，白银祭司死时的场景，那幅黑色地狱般的图画，像是墨水般刻在他的脑海里，难以磨灭。每次一想起来，都会让鬼山缝魂感觉到难以抗拒的恐惧感，如同一个鬼魅的手伸进了自己的胸腔，冰冷的五指捂在自己的心脏上的感觉一样。

当天自己和银尘一起，目睹了白银祭司，也就是那个水晶雕刻般精致的苍白男孩的死亡。本来，当小男孩那双仿佛琥珀般晶莹剔透的眸子失去光泽，眼睛缓慢地闭上的时候，银尘和缝魂，心里都翻涌起了悲凉。但是，在下一个瞬间，恐怖的阴影从天而降。

小男孩闭起来的眼皮，突然像是冰块融化一般，渐渐消失了，露出两个黑色的眼眶，仿佛是腐烂的尸体留下的眼洞，而更加可怕的在于，两个黑色的眼眶里，仿佛涌动出了越来越多的黑色黏稠的液体，这些液体挣扎着、扭曲着，像是有生命的黑色软体怪物一般，发出阵阵锐利刺人的尖叫，这些黏稠的液体从男孩的两只眼睛里挤出来，黑色的胶质，汩汩地沿着男孩的脸、脖子、胸膛……流淌到地面上，黑色的液体开始挣扎出四肢般的形状，突起的一块圆弧状的肉瘤上，有两颗拳头般巨大的雪白滚圆的眼珠，上面布满了撕裂般的血管，一个如同嘴部般的黑洞正在发出嘶哑而恐怖的呐喊……一大团黑色的胶质冒出腐烂的臭味，并且不时地伸展出如同枯树枝丫般的手脚，看起来仿佛被烧死后扭曲了的焦黑躯体，又如同被黑色的沼泽吞噬了的腐尸……当最后的黑色黏液从男孩身体里排挤出来后，这团蠕动尖叫着的黑色液体，渐渐衰弱了下去，最后变成了黑色的气体，蒸发到空气中，被风吹散了。剩下小男孩水晶般的空壳，两只空洞的眼眶朝外面冒着白色的寒气……

银尘和缝魂都难以相信自己的眼睛，难道这摊不知道是什么怪物的黑色黏液，就是他们一直信奉的如同神祇一般的白银祭司吗？难道那个完美精致得仿佛水晶神像般的小男孩肉体，只是他们的躯壳么？那心脏的水晶地面里沉睡的那几个白银祭司呢？他们俊美如同天神般的水晶躯体下，是不是也是这样的一团黑色腥臭黏液呢？

“这些轮不到我们去想。我们只是王爵和使徒而已。接受并完成任务，是我们的命运。”鬼山缝魂在渐渐昏暗的海风里，额前的头发吹开来，露出他硬朗的眉眼。曾几何时，称霸整个大陆的最高王爵和使徒，竟然变成现在这样悲哀的存在。

这个大陆上，究竟还有多少可怕的秘密呢？

“永生王爵西流尔的肉身，其实已经不存在了，他用了十几年的时间，终于将自己和这座岛屿合二为一。其实，整个亚斯蓝的领域里，也只有西流尔能够做得到。他的灵魂回路仿佛就是为此而生的。他那种接近极限和永生的恢复能力，使得他可以将自己的血液、神经脉络，甚至肌肉、骨骼，全部打碎之后，蔓延覆盖到整个岛屿。只要他的肉体之间还有一丁点儿的连接，甚至是只要还有血液的覆盖和流动，那么，他的生命就不息。我们很难想象那是一种多么恐怖而庞大的过程。经过十几年的时间，他终于将自己……变成了脚下的这个岛屿。这其中的痛苦，不是我们能够想象其万一的……”

“那他本人呢？肉体既然都陨灭了，那他还算活着么？”鬼山莲泉突然觉得有些悲凉。

“当然还是活着。只是他处于一种沉睡的状态，或者说是在很长的时间里仅仅维持着一个混沌的意识形态。如果我猜得没错，他应该是将自己的全部肉体和这个岛屿相融合之后，把自己的灵魂和思想，抽离了出来，凝聚存放在了岛屿深处的一个秘密的地方，相当于我们的心脏或者大脑……只要找到这个地方，就等于找到了西流尔。”

“找到了之后，我们的任务是……”鬼山莲泉问。

“我们的任务就是……”鬼山缝魂闭上眼睛，风吹动着他铠甲下的布袍，“重新凝聚他已经混沌的意识，然后……唤醒他。”

鬼山缝魂和鬼山莲泉，沿着岛屿缓慢地前行。一路上都在感应着魂力的强弱和变化。当他们走到一个峡谷状的缺口裂缝的时候，他们停下了脚步。

“这里魂力涌动特别强烈，这里应该是一个入口，通往西流尔的心脏。”鬼山缝魂说。

莲泉停下来，像是突然想到了什么似的，“我想试着用回生锁链刺进岩壁深处感应一下，我的魂力应该可以通过锁链延伸到岛屿的深处去，这样比较容易探知吧……”

岛屿的另外一边，特蕾娅望着天边翻涌的黑云，眼睛里是混浊的白色光芒，“哎呀，真是聪明呀，能够把自己的魂器用得这么出神入化……虽然到达不了像我这样的大面积魂力感知的程度，但是，借由魂器的出色使用，而将自己可以感应到的魂力范围和强度都成倍扩大，对于她自己的魂力捕捉能力而言，真的是脱胎换骨的飞跃啊……呵呵……”

特蕾娅仿佛一个梦游的人一样喃喃自语，再搭配上她瞳孔里那种翻涌的白色，看起来仿佛被摄去魂魄的傀儡。神音听了心里一凉，突然回忆起自己当初遇见麒零的时候，将自己的鞭子如同蛛网一样遍布整个森林用来捕捉魂力流动、感应对手的场景。但是特蕾娅怎么会知道呢，神音冷冷地问她：“你是在说谁呢？”

“我可不是在说你，”特蕾娅回过目光，瞳孔瞬间清澈起来，“我说的当然是你的对头，鬼山莲泉啊。她从魂塚里带出来的是回生锁链，和你的魂器长鞭【束龙】一样，都是可以无限延展、随意分裂的魂器。你的束龙柔韧如丝牢不可破，她的回生锁链锋利如刃坚不可摧……但话说回来，还是你的束龙厉害一些……你的魂器是活的……如果我没感应错的话，它应该是由四股来自不同种类的龙的筋脉编织扭合而成的吧？而且，当初制作这个魂器的人，同时也把四条龙的魂魄封印在了里面呢……”

神音没有回答她，但是心里却冒起了一股寒意。她实在难以相信，特蕾娅对魂力的感知，已经到了这样的地步。自己的魂器还潜伏在自己身体内没有释放出来，她竟然就能穿透自己的身体，发现自己的魂器并且说出它的材料构成。这简直太不可思议了，因为魂器没有释放到体外成形之前，仅仅也是作为一股魂力存在于爵印之中，它和身体里其他如同浩瀚汪洋般游走在灵魂回路里的魂力是一样的。这就好比是在一整片巨大的森林里，分辨出其中一片树叶一样。

“要杀她，你就赶紧去。因为他们，企图做一件了不得的事情呢，现在不杀，就晚了。”特蕾娅的表情突然严肃起来，仿佛一层冷霜覆盖在她姣好的面容上。

神音知道特蕾娅没有在开玩笑，于是她回过头看看幽冥，幽冥冲她点了点头，于是，神音卷动身影，仿佛一阵泛着白光的风一样朝岛屿的另外一边飞掠而去。同时，一股更加肆虐庞大的黑色风暴，紧随其后——杀戮王爵，幽冥。

特蕾娅嘴角掠过一丝残酷的笑容，仿佛谁的生与死，都和她没有关系。她只是在看一场斗兽场里精彩的厮杀而已。她转过头，还没来得及说话，刚刚一直站在她身后的霓虹，突然跃动起身，朝着刚刚消失的一黑一白两个身影风驰电掣地追去。他充满力量的小麦色肌肤，在暮色里仿佛一道橙色的闪电。

特蕾娅狠狠地跺了跺脚，咬着牙，“你想去送死么！”暗骂了一声后，也跟着朝霓虹追了过去。

“轰——轰——轰——”

一声接一声的爆炸声响，在四处激射的碎石尘烟中，鬼山莲泉的长袍被脚下旋动的气流卷起，看起来仿佛波浪中柔美的睡莲花瓣。她双臂上缠着分裂出的数根银白色锁链，每一根都仿佛流星般从缺口裂缝处激射而进，如同钻地的白色巨蟒一样，朝着岛屿深处哗啦啦游蹿而去，地底深处传来无数岩石被钻破的声响。她紧闭着双眼，仔细地分辨着从锁链深处传递回来的魂力变化。周围的空气里弥漫着无数的石块碎屑。

“找到了……”鬼山莲泉猛然睁开眼睛，“天啊……”她难以相信从锁链深处传递回的残留魂力的气息……那简直是……

“我们想办法进去……”鬼山缝魂从身体里释放出他的月牙色的巨剑。

“不用，我来就行。”鬼山莲泉将其他的几根锁链从岩石里拔出来，只剩下那根找到了西流尔心脏的锁链，她再次将几根锁链朝着目标激射而去，锁链叮叮几声，在岩石上打成了一个圆。鬼山莲泉双眼一紧，周身十字交叉的金黄色刻纹突然爆炸出一圈巨大的金黄色光芒，只听见轰然巨大的爆炸声，接着哗啦啦一阵锁链的声响，五根白色巨蟒般的链条，将无数巨大的碎石块从岛屿深处那个圆形的洞口拔了出来，仿佛是一个正在奔涌的井口。

当飞射的碎块和尘埃落定了之后，一个幽深的洞穴入口呈现在他们的面前，如同一个来自地狱的无声的黑色邀请。

“走吧。”鬼山缝魂将长剑收回体内。

“嗯。”鬼山莲泉跟了上去。

刚走了两步，“小心！”鬼山莲泉还没反应过来，就被鬼山缝魂一把抱住，朝后面倒退飞跃而去。而她刚刚站立脚下的地面，突然爆炸耸立出一大簇锋利的黑色冰晶，无数枚仿佛倒刺般的黑色冰晶簇拥在那个黑色的洞口，看起来如同一个森然的巨大昆虫张开的口器。

鬼山缝魂心里一寒，这些黑色的冰晶太熟悉了，那简直就是他——杀戮王爵幽冥的标志。

“莲泉！”鬼山缝魂大吼一声，莲泉心有灵犀地将魂印一震，巨大的白色光芒从她耳垂下方的爵印里呼啸而出，无数密密麻麻的白色羽毛仿佛遇风则长的精灵一样，迅速膨胀充满了巨大的天地之间。几秒钟的时间内，鬼山缝魂和鬼山莲泉，就站在了高高的闇翅的后背上，仿佛小山般巨大的闇翅振动双翼，从地面拔地而起，朝天空飞跃。鬼山缝魂手拿月牙色的长剑御风而立，铠甲铮然，在他高大威武的身躯背后，美艳而冷漠的鬼山莲泉翩然在旁，她手中的银白色锁链仿佛是游动在空气里的两条白蛇一般灵动，哗哗作响。

而在他们对面，是两束游动的光芒，一黑一白，仿佛卷动着的鬼魂一样，坠落在山崖的顶上，光芒被风瞬间吹散，面容诡谲而英俊的幽冥以及巧笑嫣然的神音，仿佛一对完美的情侣一般，在山崖顶端迎风而立。

“想去哪儿啊，姐姐？”神音抬起手，伸到后颈脊椎的地方，用指甲轻轻地划开皮肉，将那条仿佛脊髓般的白色长鞭束龙从体内释放出来。她眯起眼睛，冲莲泉轻轻一笑，刚刚在特蕾娅面前恐惧的样子完全消失不见了，此刻的她，和她身边站立着的幽冥一模一样，他们是杀戮的象征，他们是死神的使者。她目光里闪动着千刀万刃。

“不用你管。”鬼山莲泉低喝一声，手上的锁链突然暴涨激射，同时又分裂出其他几根锁链，一个短暂的瞬间，整个天地间都翻涌着她白色巨大的链条，周围的空间被她的链条锁成了一个密闭的网。

“别丢人现眼了！”神音朝空中一跃，身影闪电般朝巨大的闇翅冲过去，与此同时，她手中的长鞭顷刻间分裂成四股，每一股龙筋在风中迅速地膨胀开来，化成四条巨龙，每一条长鞭的鞭头，都挣扎变形出一只张开血盆大口的龙头，和无数锋利的獠牙，并且那血盆大口里不断地传出咆哮的龙吟。四条巨龙翻滚着，朝莲泉的锁链缠绕而去，锁链锋利的金属摩擦着鞭子上一片一片龙鳞的刺耳声响，锐利地冲击着人的耳膜。连幽冥和鬼山缝魂，都觉得胸口一阵一阵气血翻涌。

两个使徒拥有如此类似的魂器，似乎冥冥之中就是一对天生的不是你死就是我亡的对手。

神音之所以一上来就释放出如此巨大的魂力，是因为她清楚，此时此刻的鬼山莲泉，早已经不是当初在雷恩被自己困在甬道里的可怜使徒了，在这片一望无际的大海之上，如果不趁着鬼山兄妹在调动起无数的海底魂兽之前解决他们，那之后就麻烦大了。而且她明白，在鬼山兄妹面前，自己和幽冥都无法释放魂兽，否则他们很可能将之催眠，反噬自己。特别是幽冥的诸神黄昏，如果失去控制的话，这片海域随时都有可能瞬间变成人间炼狱。

神音全身的金色刻纹肆意而暴虐地绽放着光芒，她双眼发红，双臂朝前一甩，“刷刷”两条巨龙长鞭朝闇翅的那两双锋利的巨爪缠绕而去，当鞭子缠住了闇翅的双腿时，她突然在空中朝后将身体一拧，喉咙里发出巨大的怒吼。神音巨大的拉力，竟然让庞然大物闇翅稳不住身形，被两条龙鞭拉扯着，朝神音的方向滑去。同时，神音把手腕上的那串冰蓝色的宝石往空中一扔，瞬间，十七个风驰电掣的神音仿佛卷动着白色光芒的女神在空中旋转着交错飞掠。十七张仿佛花朵般娇艳的脸上，是毒蛇带血獠牙般凛冽的杀戮气息。

鬼山莲泉心中一沉，空中悬浮的锁链被那几条巨龙般的鞭子缠得动弹不得，她闭上双眼，身体里震荡起一股排山倒海的魂力。猛然间，回生锁链突然暴涨三倍，如同双手环抱的柱子般粗细。链条每一个环扣的边缘，都是刀锋般又薄又利，突然膨胀开来的力道，将缠绕着它们的龙筋，切割得鲜血直流，空气里四散激射着无数龙血，仿佛从天而降的红色暴雨。耳边充斥着四条巨龙的悲痛龙吟，响彻天地，连空中的乌云，都被震动得翻涌不息。

“你找死！”神音的脸上寒光爆射。两条巨龙突然松开锁链，朝鬼山莲泉席卷而去，狰狞而巨大的龙口利牙交错，莲泉脸上一阵慌乱，但闇翅被神音拉扯着，躲避不了。

正在这个时候，鬼山缝魂举起月光色的长剑，他胸膛上金黄色的十字刻纹绽放出剧烈的光芒，空气里无数卷动着的白色气流刷刷地朝剑身蹿去，凝固在剑身表面化成森然的寒气，他举起长剑朝闇翅脚下的龙身砍去，剑气暴涨，仿佛卷动的白色软刃，闪电般地刺进龙鳞深处。

两声巨大的惨叫，两条龙鞭吃痛，松开闇翅的爪子，闇翅突然发出一声巨大的鸣叫，冲天而起。

“莲泉，现在！”鬼山缝魂大吼一声。

莲泉心领神会，她转身和缝魂以背相靠，双眼紧闭，天地间一阵巨大的雷声，闇翅载着他们两个朝云朵之上飞快地爬升，与此同时，他们脚下辽阔的黑色汪洋，隐隐发出无数沉闷而遥远的怒吼。数以万计游动的光芒，在黑色的海面之下隐隐发亮。顷刻间，浩瀚无边的黑色海洋变成了一面混沌的星空，密密麻麻的光点，在沉闷的巨响中呼之欲出。

神音心里突然有着无限的恐惧，她回过头，看着幽冥。

幽冥冲她点了点头，然后朝天空飞快地拔地而起，仿佛一股冲天的黑色气旋，他修长而矫健的身形，一瞬间就追上了朝天飞掠的闇翅。他双眼含怒，面若冷霜地冲鬼山缝魂说：“使徒们打斗，你凑什么热闹，你的对手是我！”

说完，他朝天空将头一仰，胸膛上的金色刻纹激射开来，翻滚的乌云深处，无数的水汽凝结翻涌，瞬间幻化成上万根刀剑般的巨大黑色冰柱，从天空雷霆万钧地笔直射下。

鬼山莲泉挥动起白色的锁链，如同旋转的星云般将她和缝魂围绕起来，激射而下的巨大黑色冰箭撞碎在旋动的锁链上，化成四散碎裂的黑色冰块，只是闇翅巨大的身形无处躲藏，“噗噗噗——”转眼间密密麻麻数十根巨大的黑色冰箭穿射过它的翅膀和身体，空气里漫天洒下巨大的血雨。伴随着闇翅巨大的哀鸣声，他们随着闇翅一起朝海面上跌落下去。

天空里的幽冥一声冷笑，朝上突然跃起之后，仿佛跃出水面的黑色鲤鱼一般，又头朝下垂直坠落，追着鬼山兄妹而去。他如同一个黑色的鬼魅，从天空之上笔直刺下，他将左手再次用力一斩，“坠！”天空里，又一批成千上万的巨大冰箭怒射而下，这一次，每一根冰箭都变得更加庞大而沉重，速度更加剧烈，雷霆万钧，仿佛一面当头轰然砸下的带刺巨墙。

而更加绝望的是，幽冥将右手一抬，身下的海平面上，突然疯狂地拔地而起数十根锋利而又巨大的黑色冰晶尖刺，钻出水面的尖头仿佛雨后的春笋，一个眨眼的瞬间，就化成了诡谲扭曲的藤蔓般哗啦啦朝上摇曳爬升，沿路不断吸纳着天地间的水汽，膨胀着直径围度，碎裂的冰块噼里啪啦坠落深海，鬼山莲泉看了看头顶压下来的黑色冰箭，再看看脚下此刻正朝他们疯狂吞噬而来的冰凌藤蔓，在这样两头夹击的当下，她心里一慌，手上的锁链突然露出一个缺口，鬼山缝魂的肩膀瞬间被一枚冰箭洞穿，滚烫的热血飞溅开来。

“不要管，全神贯注！莲泉，现在放松了，我们就没有机会了！”鬼山缝魂依然紧闭着双眼，全身的魂力在他的灵魂回路里疯狂而有序地流动着。

“是！”莲泉眼睛里含着热泪，她抬起头，看着从上面坠落下来的黑色鬼魅般的幽冥，又看了看岩石上此刻正在休息伺机而动的神音，她闭上双眼，全部的魂力朝着脚下黑色的海面涌动而去。

“起！！”鬼山莲泉和鬼山缝魂突然大吼一声，两个人睁开他们的双眼，他们的眼睛全部变成了血红的颜色，甚至发出骇人的红色光芒，莲泉跌坐在闇翅羽毛柔软的后背上，嘴角沁出一丝鲜血，但是她依然咬牙维持着巨大的魂力消耗，而她身边的鬼山缝魂，如同一位高大的战神一样，迎风而立，喉咙里发出暴风般的怒吼。

神音和幽冥异口同声地大喊：“糟糕！”

下一个瞬间，他们脚下辽阔的海面突然像是被煮沸了一样，肆意地翻滚起来。接着，几秒钟巨大的寂静笼罩了天地，所有的声音都消失了，只有海面突然高高地隆起一个光滑的弧度，然后轰然一声巨响，仿佛海底火山喷涌一样，一头又一头大大小小、千奇百怪的魂兽，从海面上破水而出，朝天空疯狂飞蹿，无数的剑鱼、海象、海狮、蛟龙、海蝶、水蛇、海马、三戟鱼……各种叫得出名叫不出名的海底魂兽，密密麻麻地从海平面上渐渐飞起，当然其中为首的，正是鬼山缝魂的第一魂兽海银，那是一头有着麒麟的身体和龙的尾巴的怪兽，双肩长着两只巨大的纯白色肉翅，上面密集地生长着无数长剑般锋利的细长鳞片，如同千万把刀刃。

从高高的山崖上望过去，一直到地平线上那么遥远的海域范围内，全部都是飞翔在空中渐渐聚拢来的数万只魂兽，它们的双眼通红，失去理智般地咆哮着，神音被这天地间回荡着的巨大轰鸣震得胸口一紧，一口热血从喉咙里涌上来，全身的灵魂回路被震得差点儿错乱，她赶紧坐下来，平稳体内几乎快要被这些魂兽的怒吼震得失控的魂力。

在这黑色苍茫的天地间，地平线上，落日正在颓败地往下沉，落日鲜红色的余晖里，是这几十万只巨大而疯狂的魂兽，从高空上望下去，仿佛成千上万的黑色野蜂将海面覆盖起来。无数从它们身上激射出的鳞片、利爪、尖牙，将整个岛屿射得千疮百孔，飞沙走石。几十万只疯狂的魂兽朝着神音、幽冥席卷而去。

而这个时候，山崖上突然卷动出几缕强劲的光芒。

麒零刚刚看见脚下黑色的地面，还没来得及站稳，就被整个天地间巨大的轰鸣震得头痛欲裂。他刚刚通过漆拉的棋子传送到这个岛屿上，他完全没有想到，会直接面对着这样一场天崩地裂的巨变。

他吞咽下口中的鲜血，张口想要呼喊银尘的名字。但是他发现自己完全说不出话来，四周激荡着仿佛雷暴般冲天裂地的魂力，他的意识渐渐模糊起来，在摇晃的视线里，看见银尘突然闪动身形，挡在了自己前面，银尘腰间光芒闪动，瞬间，一面巨大的纯银的盾牌挡在自己前面，巨大柔和的白色光芒，将周围的飞沙走石、尖锐叫嚣，还有那些暴戾流动的魂力全部阻挡开来。

麒零的意识渐渐清醒过来。他看着面前整个天地间几乎崩裂的场景，张开口，不知道该说些什么。

“这是……人间炼狱么……”他无法相信自己的双眼。

而此刻，银尘将天束幽花朝盾牌后面一拉，拉到麒零身边，“你保护她。”说完，他和漆拉两个人，一黑一白两道光芒朝着仿佛坍塌的天空飞掠而去。

“这是完美天堂，还是人间炼狱……说不准呢，一切才刚刚开始……”

悄然出现在麒零背后的特蕾娅，看着天地间狂乱的魂兽们，脸上是似笑非笑的表情。但是她混浊的瞳孔里，却有一种狂热的期待。谁都不知道她期待的是什么。

只是，站在她身边的霓虹，此刻呼吸急促了起来。他全身的刻纹密密麻麻地几乎全部浮现了出来，狂暴的魂力如同龙卷风一样，从他的身体里席卷了出来。

他的眼神直接而又暴戾，他的眼睛里，除了神音，谁都没有。

特蕾娅被身边的魂力震动，回过头看着霓虹。没有说话。

真正摧毁天地的风暴就要开始了。她想。

只是，连她都不知道，这场战役的结果。

因为，她现在还不知道，突然降临的银尘和漆拉，会站在哪一边。

如果这场战役最终引起了他们两个人的加入，那么，这将是一场摧毁亚斯蓝的大战。

谁都没有意识到，并且谁也说不清为什么的，这样一个事实：

也许是天意，也许是巧合，亚斯蓝除了一度王爵修川地藏和他的天地海三使徒之外，所有现存的二度到七度的王爵使徒，都会聚到了这个岛上来了。

而此刻，乌云翻滚的苍穹，天光破碎逃窜，漆黑的大海如同煮沸的水，数万只疯狂暴戾的魂兽仿佛一只只海底妖魔一样持续破水而出，这种末日般的气息，这种毁灭前的预兆，多像是几年前的那次重演，也许冥冥之中，天神再一次地，用它诡异莫测的灵犀牵引，聚拢了所有魂力的巅峰。

特蕾娅笑着看了看霓虹，她风情万种地伸出手，握住霓虹肌肉结实的手臂，然后牵引着他的手，伸进自己的裙摆，她牵引着他，仿佛指引着一个未经世事的孩童。她让他的手抚摸着自己的爵印，霓虹修长有力的手指抚摸着那私密处最柔嫩也最神秘的肌肤，他的胸膛剧烈地起伏着，他的呼吸里是炽热的雄性欲望，他天使般纯美的面孔滚烫通红。特蕾娅满意地看着自己的使徒，像一个少女端详着自己最宠溺的玩具。霓虹的魂力翻涌激荡，仿佛一座随时都会喷涌的火山。

——然而，只有特蕾娅知道，在持续不断的抚摸之下，自己爵印里沉睡着的那个宝贝，它才是真正的、能够毁灭天地的火山。只是它依然沉睡着。

——但它正在醒来。

第十四章

女神的裙摆

天地间的怒吼没有减弱，
反倒更加翻滚汹涌。
无穷无尽的海底魂兽
挣扎着从水面腾空而起，
鬼山莲泉双眼赤红，
她丝毫没有收手的意思，
她的瞳孔沁出的血滴，
涌出她的眼眶，
挂在脸上仿佛两行血泪。

【西之亚斯蓝帝国 · 雷恩海域】

天地间的怒吼没有减弱，反倒更加翻滚汹涌。无穷无尽的海底魂兽挣扎着从水面腾空而起，鬼山莲泉双眼赤红，她丝毫没有收手的意思，她的瞳孔沁出的血滴，涌出她的眼眶，挂在脸上仿佛两行血泪。她抬起头，看着背对自己迎风而立的鬼山缝魂，他高大的身躯萦绕着巨大的旋转气流，他白银的战甲，已经在周围暴戾汹涌的魂力和幽冥持续不断的攻击之下，变得破损残缺，露在战甲之外的肌肤上，金黄色的刻纹仿佛是有生命的生物一样，起伏蠕动，似乎要从他的皮肤下穿刺而出。

莲泉突然觉得非常地恐惧，他似乎是想要把海底所有的魂兽都搅动出海，可是，自己和他两个人的魂力，在刚刚经过了神音和幽冥的联手攻击后，已经消耗了大半，而现在，催眠驱使如此多的魂兽，自己的魂力已经接近崩溃的边缘，如果再增加更多的魂兽，凭自己和缝魂两个人的力量，绝对控制不了……莲泉想到这几十万头魂兽在失去控制之后会引发的灾难，不由得心里一紧。

“哥哥……”莲泉近乎虚脱地跌坐在闇翅毛茸茸的后背上，她苍白的脸被风吹得更加没有血色，“我快要不行了，我的魂力支撑不了多久，你别再催眠更多的魂兽了，一旦我们两个的魂力面临崩溃，这么多的魂兽一起暴动怎么办……”

鬼山缝魂转过身，一把拉起跌坐着的莲泉，将她轻轻地揽进他宽阔的胸膛，他有力的臂膀扶着莲泉，胸膛里的心跳声清晰有力，他靠近莲泉的耳边说：“妹妹，你听着，我现在的魂力还支撑得了，等一下，我会驱动所有的魂兽冲向下面几个王爵，他们一定会本能地各自躲避或者还手，这个时候，你一定要趁着混乱，冲进地壳深处，去寻找永生王爵，将我之前告诉你的那些话，全部告诉他。如果能把他唤醒，说不定我们两个还能活着离开这里……否则……本来我还觉得，以我们两个的天赋，并且占尽了海洋的地利，说不定还有机会战胜幽冥、神音，但是我刚刚看见了漆拉，那就没用了……如果他加入这场战斗……我们没有任何生还的机会……”

鬼山缝魂没有继续说下去，他坚毅的面容离莲泉只有几寸的距离。莲泉看着身边这个从小到大都仿佛是自己的守护神一般的男子，泪水渐渐涌上眼眶，混合着血液，被周围卷动的狂风吹散在天空里。她的心脏上仿佛压着千钧的重量，那种末日般的气氛像是死神的双手将他们两个紧紧握在手心。因为她明白，缝魂没有说谎，这个曾经叱咤风云的前一度王爵漆拉，他深不可测的魂力和仿佛只有天神才配拥有的对时间和空间的天赋，完全不是他们兄妹能够抗衡的。

突然，一阵强烈的酸楚涌上莲泉的心头，因为，此刻扶在自己腰上的缝魂宽阔有力的手掌里，正源源不断地涌出精纯的魂力渗透补充到自己的体内，仿佛带着雄浑刚烈气息的泉水般，流进自己的四肢百骸，翻涌着会聚到爵印里。莲泉抬起头，正对上缝魂清澈而坚毅的双眼，他目光里的沉重和疼爱，像是匕首般划痛了莲泉的胸口。

她突然悲怆地意识到，鬼山缝魂此刻正在放弃，放弃自己微弱的生存希望，他将所有生命的可能，留给了自己，而他，其实心里已经明白……

莲泉喉咙一阵发紧，在魂力汹涌着冲进自己身体的同时，她的眼泪仿佛断线的珠子，从天空上飘洒下来。

“傻孩子，哭什么。”鬼山缝魂抬起手指，他带着血迹的手，抚摸着莲泉紧闭的湿漉漉的眼睑，他脸上是幸福的表情。

一道白色的光芒从天空里仿佛闪电般地朝麒零坠落过来，落到地面的时候光芒碎裂飞散开来，白色光芒的中心，银尘俊朗如同天使的面容在风里皱紧了眉头。

“银尘！”麒零迎着风，朝银尘费力地大声喊着，但声音被周围的飓风一吹就散，渺茫得仿佛游丝，“银尘！发生什么事了？！”麒零又一次拉长声音喊着。

银尘走过来，躲进银色盾牌后面的范围，周围的风声一下子小了很多，他看了看面前神色紧张、面容苍白的麒零和幽花，叹了口气，也难怪这两个小孩子会如此惊慌失措，因为面前的局面，就算是曾经贵为天之使徒的自己，也没有经历过。他的脑海里突然闪动出几年前那场浩劫时的场景，天地仿佛都被染成了血红。他心里一酸，走过来，双手按在麒零的肩膀上，用充满磁性的声音温柔地说：“目前的情况是杀戮王爵和杀戮使徒正在追杀五度王爵和五度使徒，我想是和深渊回廊里的那个神秘苍白男孩有关……同时这个岛上目前除了一度王爵之外，所有的使徒和王爵全部到齐了，不过其他的王爵目前都还在观望和保持中立，事态发展到什么程度，现在谁都不知道。麒零，你听我说，无论发生什么事情，你和天束幽花都待在这个盾牌的防护范围之内不要出来，现在的局面不是你们能够参与的……”银尘还没有说完，就看见天束幽花和麒零的眼里突然出现的惊悚的神色，犹如看见了鬼魅般的惊恐。

银尘顺着他们的视线回过头，眼前一片昏暗，几秒钟之后视线凝聚起来，看清楚了，天地间密密麻麻的魂兽仿佛隐藏着雷暴的黑色重云一般朝他们席卷而来，剧烈而锐利的鸣叫声带着天崩地裂的魂力，沿路摧毁着岛屿的地表，也将海面掀起的黑色巨浪顷刻间粉碎成飞扬的水雾。

整个巨大的岛屿轰然震动起来，大块大块的岩石从岛体上崩落，滑进黑色的海面，翻涌高涨的海啸朝着这个岌岌可危仿佛随时都会塌陷的岛屿席卷而来。麒零胸口一紧，一股血腥味从喉咙里冲到嘴边。他回过头看着天束幽花，她苍白的面孔没有一丝血色，她的目光已经在无数魂兽撕心裂肺的鸣叫声里溃散开来，无法聚拢，血从她的嘴角流出来，滴在她的裙子上。

“待在这里，千万不要动！”银尘迅速地站起来，他一挥手，银色的盾牌拔地而起，飞快地化成几缕白色的光线，吸收回他的体内，然后他将手一挥，一颗仿佛白色棋子般的东西“噗”的一声射进麒零脚下的地面，下一个瞬间，无数纯白色仿佛柔软海草一样的东西，从麒零脚下的地面上破土而出，周围的空气像突然间凝固了似的，万籁俱寂，刚刚仿佛快要把胸口撕开的各种袭来的魂力和轰然刺耳的巨响，都消失不见，仿佛万物都被纯白色的不断朝上生长的丝带状的东西隔绝在外，在这团有生命的白色海草范围之内，时间也似乎放慢了节奏……麒零看得呆了。他凝视着面前这片如同寂静海底的小小空间，惊讶得说不出话来。过了半晌，他朝着远处已经飞掠了很远的银尘大声地喊：“银尘，你到底藏了多少好东西在身上，借几个给我玩玩啊！我就一把破剑，太不公平了，会给你丢脸的！”

漫天疯狂的各种魂兽，密密麻麻如同黑雨般朝岛屿上急坠而去，在这股足够撕天裂地的雷霆万钧的魂力之下，是亚斯蓝领域上最杰出的一群人，他们对魂力的驾驭已经登峰造极，这片大海在他们手中，随时都能变成毁灭天地的利器，他们是整个奥汀大陆上操纵水最杰出的一群人，然而，这样的一群人，却在这片黑色的汪洋上，疯狂地厮杀着。

离魂兽群最近的幽冥、神音，虽然位居高位王爵使徒，在此刻岛上的人里，也是排名最高，但是，他们脸上的神色也丝毫不敢怠慢，神音手上的束龙分裂成了四股龙筋，此刻围绕着他们两个游动着，包裹起来的空间里，寒光四射，冷锋逼人。幽冥目光里闪动着金黄色的光芒，他裸露在飓风里的皮肤上，金黄色的刻纹闪动不息，他黑色雾气般的长袍肆意翻涌，脚下飞快旋转着他的阵，谁都不知道这个阵的作用，只有他脸上那个残酷而邪恶的微笑，仿佛在宣告着他的力量。

再远处一点儿，漆拉面无表情地站在一块突起的山崖上，他的面容冷漠而淡然，秀美如同女性的五官上，看不出任何的神色。他脚下仿佛呼吸般明灭着一个缓慢旋转的阵，对他来说，只有他无法摧毁的对手，而没有可以摧毁他的对手——因为，任何时候，他只需要将脚下的大地做成一枚棋子，就可以轻松而潇洒地离开任何劣势的战局，所以，他的长袍仿佛慢动作一般翻飞在风里，他站在另外一个任何人都无法接近的世界里。

再远处，则是特蕾娅和霓虹。特蕾娅的双眼此刻翻涌着剧烈的白色风暴，让她的眼眶里一片骇人的惨白，再配合上她脸上诡异的笑容，让她像一个在地狱入口处迎接着新亡灵到来的美艳女鬼。而她的前方，露出全身小麦色健壮躯体的霓虹，如同一个面无表情的战神雕塑一样，一动不动地站在她的面前，他的双手上涌动着无数金色的魂雾，这双手，随时都可以变成撕裂一切的神兵利器。

在他们的身后，是从天空上翩然降临的银尘，他一身白衣如雪地站在黑色的岩石上，他的双眼绽放着金色的光芒，在他脚下旋转不停的光芒之阵里，无数剑柄、盾牌、锁链、长矛，以及一些无法辨认出形状的魂器，正如同从地面开出的花瓣般，将他层层叠叠地围绕起来，几十件魂器互相吸引震动，发出尖锐的蜂鸣声。

他们所有人的目光，都望着天空上，朝他们冲击而来的万千魂兽，如同一股黑色的流星陨石，从天而降，随时都可以摧毁整个天地。

鬼山缝魂和鬼山莲泉骑在闇翅的背上，与周围密集围绕着他们的数万魂兽一起，急速地朝岛屿上坠落，快要接近地面的时候，缝魂转过脸来，深深地望着莲泉，他的声音里充满着一种诀别的悲怆，“莲泉，无论如何，你答应我，一定唤醒西流尔，然后活着离开这里。”他在说这句话的同时，双手捧着莲泉的脸庞，手掌心里海浪般翻涌的魂力源源不断地注入到莲泉耳朵下方的爵印里——这是他最后仅有的残余魂力。莲泉的眼泪滴在他的手背上，仿佛滚烫的珍珠。

随着缝魂魂力的减少，越来越多的魂兽从催眠里苏醒过来，失去控制，变成发狂般暴戾的怪物，冲向下方。

“去吧！莲泉！”鬼山缝魂一声怒吼。

无数魂兽突然齐声鸣叫，魂力在空气里震荡起的透明涟漪把所有人的视线吹得模糊。鬼山缝魂用力地在莲泉背后一推，莲泉的身影从闇翅的背上轻轻地高飞出去。

鬼山莲泉看着前方渐渐走远的缝魂悲怆的背影，她张了张嘴，流着眼泪无声地说：“鬼山缝魂，如果你让自己死了，我一辈子都不会原谅你。”说完，她迅速朝一头湿淋淋的小型海蝶飞掠过去，她矫健地翻身上到海蝶长满鳞片和触角的光滑后背，伸出手按在它的后颈上，眼中精光绽放。海蝶在她的催眠下，迅速朝着远离兽群的方向斜斜地飘飞出去，仿佛一只断线的风筝一样，悄无声息地朝刚刚莲泉探测到西流尔魂力的那个洞口飞去。她的眼泪被风吹成长线，洒向鬼山缝魂此刻被死神笼罩的背影。

所有人都屏息凝视着，作好抵御第一轮魂兽攻击的准备，王爵和使徒们的目光都牢牢地锁定在骑乘着闇翅从天而降的鬼山缝魂身上，谁都没有注意到鬼山莲泉已经悄悄地朝洞穴入口翩然飞去——除了特蕾娅。

“哎呀，兵分两路了啊……”特蕾娅白色风雪肆虐的眼睛半眯着，仿佛看到了一件有趣的事情，“妹妹怎么能丢下哥哥呢，现在的小孩子哟，越来越没有规矩了，那就……让我来教训教训她吧，嘻嘻……”她身形展动，悄然地朝鬼山莲泉追去，身影快速地几个起落，已经离洞穴入口只有数百米之遥。沿路无数的魂兽，都被她巧妙而轻松地绕过——以她的天赋而言，提早预算出魂兽的轨迹和进攻方向并不是什么难事，无论前面冲过来的是一头，还是一万头，对她来说，都像是信手拈来，闲庭信步，仿佛在一阵纷纷的落叶中，也能丝毫不沾衣裳。但是，鬼山莲泉还是在被她追上之前，身影一闪，钻进了洞穴的入口。特蕾娅停在入口，看了看黑幽幽的洞穴，又转头看了看天上那即将撞击岛屿的黑云，她咬了咬牙，一跺脚，低头冲进了洞穴。

漫天翻涌的魂兽，从海底破水而出，身体上湿淋淋的海水会聚成一片雨滴洒向地面。大大小小的黑点游动在更高远的天空上面。麒零透过包裹他们两个的纯白色水草，望着外面天翻地覆的场景，耳边却没有任何的声音，仿佛大雪之后寂静的森林，只有天束幽花的呼吸声清晰地在耳边回响。麒零伸出手，轻轻地抚摸着面前从地面生长出来的带状水草，觉得太不可思议了，“这些白色的水草，到底是些什么东西啊？”他自言自语地说着，没想到身边的天束幽花竟然回答了他。

“这些不是水草，你自己看看它们，就会发现它们其实是一根又一根的丝绸，如果我没有猜错的话，这些绸缎其实就是一件有名的魂器，叫做【女神的裙摆】。它的神奇之处，就在于这些丝绸缠绕交错，无风自动，在这些绸缎包围的领域里，任何间接攻击都是无效的。比如我的魂器——那把巨大的冰雪之弓射出的所有箭矢，都算作间接攻击，对女神的裙摆来说，全部都是无效的。”天束幽花伸出手抚摸着仿佛被海水轻轻摆动着的白色丝绸，目光里是掩饰不住的忌妒。

“如果只能抵御间接攻击的话，那有什么用，敌人靠近了对你直接攻击，那不是也没用么，还不如穿一件坚硬一点儿的铠甲，或许刀砍在身上还能抵挡一阵子。”麒零不解地望着天束幽花。

“女神的裙摆的武器属性虽然是盾，但它实际上是一面非常态意义上的变形盾牌，它不单单是将弓箭这类的远程进攻定义为间接攻击。另外还包括元素类的攻击，比如将水元素固化，制造巨大的冰箭、冰刃、冰雪藤蔓，等等。或者操纵液态水，制造海啸、水滴石穿等进攻方式，都被定义为间接攻击，甚至连魂兽的攻击，也被定义为间接攻击。说穿了，女神的裙摆用它强大到不合理的武器天性，将任何除了来自魂术师本人的魂力进攻之外的任何攻击，都强行地定义为间接攻击。所以，它一直都被认为是亚斯蓝领域上，防御类魂器中最顶级的盾牌之一，排名甚至超越幽冥的那块几乎能看做是进攻类武器的盾牌——死灵镜面。”

“那到底什么攻击能够伤害到这个武器的主人呢？”麒零认真地问道。

“用刀砍，用剑刺，用牙齿咬，用脚踢。懂了么？”天束幽花气鼓鼓地望着麒零的脸，但是瞬间又被他那张离自己只有几寸距离的英俊面容弄得一阵脸红。

“这么厉害！”麒零大吸了一口气，突然想起什么，脸色瞬间沮丧下来，“那我从魂塚里拿出来的这把断了一半的破剑，和女神的裙摆比起来，简直像一个小孩子的玩具嘛……”不过，他转念又想到了自己的天赋，反正自己的天赋是无限魂器，那么，回头向银尘软磨硬泡，让他把女神的裙摆借给自己防身，也挺好。想到这里，他又啧啧得意起来，“不过说起来，你为什么会知道这么多啊？”

“我不是早就告诉过你，我身上是高贵的皇室血统么，我家所有的人，都是辅佐帝王的大臣，我母亲更是直接负责亚斯蓝领域里的所有资料和历史记录，所以亚斯蓝领域上大大小小的事，我都能知道个大概。你一个乡下小子，而且从来也不知道魂术世界，所以，你理所当然不知道皇族在亚斯蓝领域里的地位。简单点儿说吧，皇族代表的皇室体系和王爵们代表的魂术体系，就像是国家和军队的关系，王爵们统治着魂术师们，充当着保卫国家的军队的作用，而皇族统治着魂术世界之外的平民。现在统治亚斯蓝的皇帝【冰帝】艾欧斯，传说中他的能力和一度王爵修川地藏是并驾齐驱的，并且冰帝身上的灵魂回路和王爵们身上的灵魂回路不一样，至于到底有什么不同，这个我不清楚。但是可以肯定的是，一定也是非常罕见甚至无法想象的灵魂回路。不过，皇族里也只有冰帝具有王爵级别的魂力，其他的皇族，也就只是魂术师级别而已。所以，单从魂力上来讲，王爵、使徒还是整体要高于皇族的……至于白银祭司，就等于国家的宗教体系了，他们三个，是所有魂术师心中的天神。”天束幽花还没说完，围绕他们身边悠然摆动的一缕缕白色丝绸，突然仿佛被风吹起般，朝着天空迅猛地变长变粗，转眼就变成十几米高的白绸。麒零顺着往上蹿动的绸缎看出去，第一批凶猛的魂兽，已经撞击过来。巨大的白绸疯狂地卷动起来，仿佛层层白色的花瓣，把他们包裹在花心中间。

最先被攻击的当然是站在最前方的幽冥和神音两人，尽管魂兽的数量非常多，但是，以他们两个的魂力而言，虽然迅速歼灭这些魂兽不太可能，如果只是想保护自身还是非常轻松的。并且，别忘了，他们两个都是侵蚀者，一个靠着摧毁魂兽魂印就能不断提高魂力，另一个所有承受的伤害都能修复完善自己的灵魂回路，所以，这场对别人来说是灾难般的魂兽暴动，对他们两个来说，却像是一个能够大幅提升自己魂力的修炼场一样。幽冥迎风而立，双手不断朝着迎面撞来的各种魂兽虚空捕捉，天空里持续不断的惨叫声，听起来仿佛人间炼狱。大大小小的爵印从各种魂兽身上的各个部位浮现出来，然后爆炸成金黄色的碎片，无数金黄色的粉尘混合在漫天飞洒的兽血里，朝着幽冥的掌心吸纳而来。幽冥那张英俊而邪恶的脸上，此刻泛滥着难以抑制的迷幻的快感，他的目光呈现着一种临界混乱的兴奋。而他身边的神音，在风暴般的庞大魂力攻击下，却洋溢着轻蔑的笑意。她以一种似有似无的防御姿势抵抗着眼前的进攻，始终将伤害维持在一个不会真正重创自己，却同时能让魂力大幅跃升的平衡点。她浑身的金色刻纹，在昏暗的天色中，隐隐发亮，汩汩流动着，仿佛金色的小河。

而站在他们身后不远处的是霓虹，此刻，特蕾娅已经追着莲泉冲进了岛屿深处，所以，现在只剩下霓虹独自面对冲过来的数万头大大小小的魂兽。不过，很显然，特蕾娅清楚地知道他的实力，所以，她走得非常放心，或者说，应该担心的是这些已经接近疯狂的魂兽们吧。因为从某个意义上来说，霓虹和一头野兽几乎没有区别，他甚至比野兽更冷酷、更凶残、更具有兽性的侵略。从麒零和幽花这里望过去，那些雷霆万钧的魂兽们，如果和霓虹对比起来，就仿佛突然变得老态龙钟般动作迟缓起来，因为霓虹的速度太过迅捷，仿佛天空里无数道一闪而过的橙色短促闪电。闪电过处，魂兽瞬间被撕裂成无数片尸块，漫天激射而下的滚烫的兽血将霓虹淋成了一个沐血杀戮的恶魔，但是，他脸上依然是那种无辜而温柔、茫然而纯真的神情，他天使般的五官甚至让天束幽花都觉得微微心疼起来，“他的进攻就是最直接、最原始的进攻，这种进攻连女神的裙摆这样的神级魂器都束手无策。”她一边看着霓虹以暴风般的姿态毁灭着迎面而来的兽群，一边对身边的麒零说。

当兽群掠过霓虹之后，就铺天盖地地冲向了漆拉，但是，经过了前面幽冥、神音和霓虹两道防线之后的兽群，战斗力已经消耗大半，数量也从铺天盖地变得零星可数。于是，当漆拉在脚下展开他凌驾众人之上的阵时，所有冲进阵的范围的魂兽，突然变得仿佛慢镜头下梦游的怪物们，而漆拉的动作依然轻盈敏捷，他游刃有余的动作，他俊美仿佛天神的面容，镇定自若翩跹起舞般的身影，都让麒零和幽花目瞪口呆。“这就是……传说中上一代一度王爵的实力么……真是太吓人了……”天束幽花看傻了。

而最后冲向银尘的魂兽们，更是被银尘随手不断抛出的各种魂器打得毫无对抗之力。特别是当麒零看见银尘从长袍袖口里一拧身甩出一把通体晶莹透明的细身剑，然后这把剑在射向兽群的过程里，迅速地分裂，一分二、二分四，转眼间，天地间的剑阵就仿佛一大群深海游动的闪电般迅捷的银鱼，所过之处鲜血横飞，势不可当，当它们掉头游回银尘身边的时候，再一次地两两合一，最终以一把细身剑的姿态被银尘收回。麒零看得嗷嗷直叫：“银尘！我再也不会瞧不起你了！你不愧是大天使啊！”

天束幽花看了看身边兴奋得手舞足蹈的麒零，然后又转身望着仿佛站在一堆魂器宝藏上的银尘，她心里暗暗吃惊，“这几年，银尘一直都行踪诡异，几乎没人联络得到他，难道这些年里，他就一直在这片大陆上收集着各种从远古时代起就遗落在世间的各种魂器么？如果是这样的话，那他的实力就太可怕了……更何况，没有人知道这些魂器里，现在究竟是空的，还是已经寄居着无人知晓的魂兽了。”想到这里，天束幽花的脸色一片苍白。

零星有一两头重伤的魂兽，在突破了当代天下最杰出的魂术操纵者们的层层防线之后，勉强地闯到了麒零和天束幽花的面前，天束幽花站起来，冷哼了一声，转身将她那把巨大的弓箭拿了出来，“啪啪啪”几声，她的手上立刻凝聚了三枚锋利的冰箭，远处飞来的魂兽在天束幽花放开弓弦的瞬间，应声而落。后来，天束幽花甚至发现，根本不用自己动手，当有魂兽飞进女神的裙摆的领域时，那些绸缎中的一根就会卷动飘逸着朝它轻轻地拂动而去，在丝绸触碰到魂兽的瞬间，魂兽立刻就化成一团白色的雾气消散在空中。天束幽花看着包围着自己和麒零的这几十根翻涌摇曳的大块丝绸，心里暗暗吃惊。

“看来根本构不成威胁嘛……”麒零松了口气，把自己手上的半刃巨剑也放了下来，插在脚边的地上。

“你想得太简单了，你也低估了五度王爵他们的天赋，你看看远处，那些密密麻麻的魂兽，刚刚的这些，只是第一波最弱小的魂兽而已，这片海域里到底有多少魂兽，你算过么……”天束幽花看着天空上再次逼近的第二批魂兽，脸色依然苍白难看。

“滴答——”

“滴答——”

黑暗的洞穴里，时不时地从头顶传来滴水声。莲泉将回生锁链收回，一圈一圈缠绕在自己的手臂上，尖锐的链头轻轻垂在手腕下面，她将魂力注入到回生锁链上，锁链锐利的头部发出柔和的白光，仿佛两颗发亮的宝石，正好为自己照明。

她看了看从头顶岩壁上滴到自己手背上的水滴，皱了皱眉头，水滴是血红色的。她想到自己正穿行在永生王爵身体的内部，就觉得一阵毛骨悚然。但是她片刻都没有停下来，她努力分辨着刚刚从链条上感知的西流尔的位置，飞快地朝前掠去。因为她知道，刚刚鬼山缝魂传递了大量的魂力给自己，他剩下的魂力没办法维持太久。这么大面积魂兽的催眠，一旦魂力不济，魂兽失控的话，离这片海域最近的雷恩城必定面临灭城之灾。

但是，越往深处走，莲泉越觉得心里没底，那种恐惧的感觉在心里越来越浓，以自己的速度来推算，早就走到了岛屿的中心了，甚至是早就足够把这个岛屿走一个对穿，可是，为什么前方依然是深不见底的黑暗，而且，所感应到的西流尔的魂力若即若离，忽远忽近，时强时弱，有时候仿佛远在天边，有时候，又仿佛近在咫尺，贴着你耳边吹气一样，莲泉站在自己锁链荧光照出来的一小片范围里，被恐惧抓紧了心脏。

“哎呀，原来西流尔，你这么厉害啊，我都低估了你呢，”特蕾娅站在黑暗里，她的身体和黑色的纱裙都淹没在伸手不见五指的漆黑中间，只剩下她那双泛滥着白色风暴的眼睛，仿佛鬼魅一样在黑暗中直盯盯地看着某处，“你竟然可以在这么大的范围内，随意改动自己的爵印位置，把这整个岛屿内部都变成了这么大的一个【迷宫之阵】，就连我这个号称亚斯蓝对魂力使用了解最多、最精准的王爵，要做到这样的程度，也非常勉强呢！”

特蕾娅的目光在黑暗里转动着，她眼里呼啸的白色风暴越来越剧烈，仿佛要从她眼中汹涌而出吞噬整个天地一样，“不过呢，”黑暗里，她突然露出一个鬼魅般的笑容，“还是抓到你了呢！”说完，她整个人像是一条漆黑的影子，飞快地射向岛屿的深处。

“丁零——”

莲泉突然停了下来，刚刚她手上的链条突然朝着某个方向震动了一下。她站定身子，果然，链条再次突然震动起来，接着，手上的链条突然不受控制地暴涨激射，在黑暗里错综复杂的地形上不断拐弯，朝前拉扯，黑暗里传来一个柔和而低沉的男声，“跟着它走。”莲泉心里一动，身形随之迅速展动飞掠而去。

锁链的尽头，是一片巨大空旷的洞穴，莲泉抬起头，几乎望不到顶，洞内极其辽阔，很难想象在岛屿内部，会有如此巨大的一个空旷的洞穴，其面积和高度之大，让人担心随时都会塌方。而洞穴内竟然有光源，可以把周围都看清楚，而且光源是仿佛熔岩般的血红色。莲泉仔细寻找了很久，发现光源来自洞穴中心一块圆形的巨石，看上去有两个人那么高，红色的光就来自这块巨石的内部，并且光源的强度仿佛是有生命般的，按照呼吸的节奏明灭变化着。

“六度王爵西流尔，请问，是你么？我是来找你的！请问是你么？”鬼山莲泉站在空旷的洞穴中央，茫然四顾。

“你已经找到我了，只是，你为什么要招惹来这些怪物呢？”黑暗里，柔和的男声再次响起。

“我和我哥哥是情非得已，我们的天赋正好是大面积地驾驭魂兽，要不是靠着这个，可能我们两兄妹早就死了……其实我现在都不知道我哥哥在外面的战况到底如何了。王爵，请你一定救他。他是为了你而来的！”

“哎，我说的不是你们驾驭的那些魂兽……”黑暗里，西流尔的声音透露出一种悲壮，“我说的是，此刻正在和你哥哥对阵的那些人，他们才是真正的怪物啊……包括尾随你进来岛屿深处的这个，如果硬要比较的话，她应该算这些怪物中的怪物吧……十几年过去了，亚斯蓝到底诞生了多少这样的东西啊……”

“你说尾随我进来的……怪物？”鬼山莲泉突然心里一凉，她转过头去，无尽的黑暗里，她仿佛感受到了鬼魅的气息。而下一个瞬间，她沿着链条走过来的那条路两边的岩体，突然“咔嚓咔嚓”地移动起来，迅速合拢、挤压，刚刚进来的那条通道瞬间消失不见了。

“我能够拖延她找到我们的时间，”西流尔说，“但她找到我们，是早晚的事情。”暗红色起伏的光亮里，低沉的男声非常温柔，但是同时，他的声音里透出一股非常空虚的疲惫和沙哑。

黑暗里，特蕾娅风雪弥漫的双眼突然清澈了起来，她看着前方突然愈合封闭起来的通道，轻轻地冷笑了起来，她抬起纤细的手，娇羞地掩着嘴角，低声道：“哟，西流尔，看来我真的低估你了啊，不过……你也真的是低估我了呢。呵呵。”说完，她抬起头，双眼中的白雾喷涌而出。

她轻轻地抬起仿佛白玉雕刻成的纤纤手指，抚摸着她身边冰凉漆黑的岩壁，几丝金黄色的细纹，从她的指尖扩散到黑色的岩壁上。转眼之间，仿佛有生命的墙藤般，密密麻麻的金黄色纹路如同交错的掌纹，瞬间侵蚀了一整面洞穴的岩壁。特蕾娅瞳孔一紧，掌心里轰然一阵爆炸，一整面石壁瞬间哗啦啦地坍塌下来，巨大的岩石沿着金黄色的纹路碎裂成细小的石块，一阵剧烈的血腥气蔓延在洞穴里……

“不知道，痛不痛啊……”特蕾娅掩着嘴，轻轻地笑着。笑完了，踮起脚尖，朝爆炸出的洞口，继续往里面走去。

“你怎么做到的？”莲泉惊讶地问，“我们亚斯蓝的王爵使徒，只能操纵水元素而已，这些山体岩石，都是地爵们才能操纵的，你为什么……”

“小姑娘，你以为这十几年来，我都在做什么呢？相信你也已经知道了，这整个岛屿都是我的身体，这些岩石，早就变成了我的骨骼和肌肉，我的血液和经脉游走在整个岛屿之上，我移动山体岩石，就像是你动动自己的脚趾一样简单。”

“王爵，既然这样，那你一定能救我哥哥，他有好多话要告诉你，我们两个是冒着生命危险来找你的！”

“唉，我刚才已经和你说过了，外面的那些人，都是怪物，亚斯蓝的王爵在这段时间里魂力和天赋的进化速度，远远超过了我的想象，如果是之前的我，可能还能与他们勉强抗衡。可是，这十几年，我已经消耗了大量的魂力和体能，用来让自己和这个岛屿同化。所以，以我现在的能力，在这个洞穴和岛屿之内，他们不可能杀死我，他们的杀伤能力远远低于我的重生能力，可是，要出去救人，哪怕对阵他们其中任何一个人，我都没有胜算……”

“好……那我自己去救。”鬼山莲泉突然冷静下来，她眼眶里滚出两颗眼泪，但是声音却依然坚定，和她哥哥一样，“我进来是为了替我哥哥传话，说完他想对你说的话，请你送我出去。”

漫天呼啸的海风将海面卷碎，扯上天空，然后又变成铺天盖地的雨水砸落下来。

渐渐昏暗下去的光线里，每一个人都全身湿漉漉的，这场持续了好几个小时的恶战似乎依然没有尽头。从海底不断翻涌而出的更大、更怪异的魂兽嘶吼着，继续冲向幽冥众人。鬼山缝魂此刻咬着牙，单膝跪在闇翅的后背上，他的魂力正在以一种难以挽回的速度消耗着，甚至他在海面上制作出来的巨大的阵，也不能减弱这种消耗。他感觉到生命正像这些雨水一样，哗啦啦地从身体内部流走，某个看不见的地方，有一个黑洞，所有的魂力正疯狂地被吸纳吞噬进去。但是他不肯认输，他再一次催动起魂力，撞击自己的爵印，“轰——”的一声巨响，海面再次爆炸开来，这次，三条深海的【逆鳞渊龙】破海而出。

“鬼山缝魂！你赶紧住手！你知道自己在做什么么？如果这些魂兽失控，亚斯蓝将面临一场浩劫，你担当得起这个责任么？！”不知道什么时候，漆拉突然凌空而起，迎风伫立在鬼山缝魂前方的空中。他脚下旋转着的金黄色时空之阵，象征着他凌驾众人之上的魂力与天赋。

“漆拉王爵！我用我的生命和我家族所有的荣誉向你起誓！我没有背叛白银祭司，但是我现在解释不了，我只求你一件事情，如果今天我……我命尽于此，请你一定帮我收拾这些魂兽的残局，我知道有你在，一定可以的……雷恩的百姓一定不会有事！漆拉王爵，我只求你这个事情！”鬼山缝魂擦去嘴角的鲜血，他坚定的目光看向漆拉，没有任何的退缩和逃避，他的面容依然坚定，正气萦绕，仿佛一个满载荣誉而归的圣殿骑士。

漆拉被他这种气势震慑了。他低头沉思了一会儿，然后转身重回岛屿之上。

而此刻的岛屿，早就变成了鲜血浸泡之下的人间炼狱。

无数魂兽的尸块、骸骨、断裂的肉翅和巨大锋利的爪牙，四处散落在分崩离析的岛屿之上，仿佛一个被摧毁了的遗迹。天空中持续不断地坠落着瓢泼的红色血雨，弥漫天地间的腥臭被呼啸的飓风卷上高高的苍穹。

女神的裙摆此刻也失去了刚刚的优雅和安静，无数股巨大的白色丝绸沐浴在漫天红色的血雨里，早已经被染得赤红，巨大的绸缎在狂风里卷动，看起来仿佛海底恐怖的巨大海葵触须，疯狂卷动捕食，驱逐着越来越多、越来越巨大的高等级魂兽。麒零和天束幽花静静地站立在女神的裙摆的范围中心，时刻准备着这个防御体系的崩溃。

幽冥和神音也失去了刚才的镇定自若，他邪恶的脸上此刻绷着几根青色的血管，他的面容因为大肆的杀戮而显得扭曲骇人，而神音的四条束龙在空气里翻滚咆哮，对抗着各种魂兽。她已经不敢再肆无忌惮地承受攻击了，因为现在迎面而来的这些魂兽，魂力都极其庞大，任何一次攻击都有让她殒命的可能。

漆拉从天空上急速地降落到银尘的身边，他刚要开口对银尘说些什么，就突然感觉到一阵剧烈的地裂天崩，整个岛屿以一种摧毁性的速度分崩离析，仿佛有什么巨大的怪物要从地底破土而出一样。

所有的人都站立不稳，脚下的土地不断地崩裂，沉入大海，银尘和漆拉瞬间离地飞起，蹿向更高的山崖，而更致命的是，巨大的海风中，突然弥漫起了一股前所未有的庞大魂力，一股一股的力量仿佛是空气里绞缠在一起的透明刀刃，风吹过人的身体的时候，瞬间就切割开无数个刀口，鲜血还未来得及喷洒，就被暴风立刻撕成红色的粉末消失在空气里。

“这是……怎么了？”天束幽花满脸死灰。

紧接着，一声更加巨大的爆炸声在天地间轰然雷动，整个岛屿突然从中心爆炸开来，无数巨大的石块四分五裂，朝天空激射，然后又雷霆万钧地坠落下来，所有的人都在这样的天灾下，尽力地躲避着，包括位居二度的幽冥和神音，可以看到，他们两个此刻的面容，也充满了对未知的恐惧。

“那是……那是五度使徒莲泉？”漆拉稳住身形，透过快要将视线吹散的飓风，他看见，刚刚从地底翻涌而出的，正是号称海里最具毁灭性的魂兽海银，而在海银那颗长有九枚眼睛的巨大龙头上，正迎风傲立着鬼山莲泉。

整个岛屿继续在震耳欲聋的天崩地裂声里持续坍塌，这时，一个穿着黑色长裙的身影突然从地底随着爆炸的巨石弹射出来。幽冥回过头，被自己眼前的场景吓傻了，他从来没有看过特蕾娅如此狼狈的样子，头发被狂风吹散，嘴角残留着血迹，她雪白的大腿上是三道深深的刀口，正在往外喷洒着血珠。

“特蕾娅！出什么事了？”幽冥感觉到肯定发生了什么惊人的变故，他朝特蕾娅闪电般地蹿动过去，同时，霓虹以更加狂野的速度，冲向了正往海里坠落的特蕾娅。

霓虹和幽冥接过特蕾娅，找了一处暂时还没有崩塌的山崖降落下来。

“幽冥，赶快杀了鬼山莲泉，现在不杀……等到她身上新的回路组建完毕的话……我们就永远杀不了她了……快动手！”特蕾娅的口里不断涌出鲜血，她的声音随着血水不断涌出她的喉咙，看起来恐怖而又瘆人。

“你说什么……什么新的回路？”幽冥转过头，看着此刻高高站在海银头上的鬼山莲泉，她全身散发着让人无法逼视的光芒，她身上涌动的魂力简直到了一个不可思议的地步。她操纵着海银，逐渐往鬼山缝魂和闇翅的方向靠拢，她要找到她哥哥，然后迅速逃离这里。但是她的脸上却呈现着一种狂乱，一种接近崩溃边缘的狰狞，她的双眼一片混沌，看起来早已经失去了理智……

剧烈的地壳震动崩裂，海银庞大的身躯逐渐从海里翻涌上来，刚刚呈现的，仅仅只是它庞大身躯的冰山一角。银尘站在海银巨大的尾部，勉强躲避着周围的坍塌，漆拉高高地飞掠上海银的后背，他还是想靠近鬼山莲泉，问个清楚。

“鬼山莲泉现在不是五度使徒了，她现在是……”特蕾娅双眼瞳孔急剧缩小着，非常惊恐，嘴角的血沫被风吹散，“她现在是最新的六度王爵，她是新的海神……”

幽冥突然松开手，“怎么会这样……”

“西流尔临死前把他的灵魂回路赐印给了鬼山莲泉，也就是说，他让鬼山莲泉做了他的使徒，按道理来说，莲泉已经被赐印过一次，身体里有五度王爵的灵魂回路，如果再来一套回路的话，瞬间就会互相排斥，引起身体的摧毁和死亡，但是……六度王爵的灵魂回路实在是太过特别了，它压倒性的愈合能力，以接近永生的强度，让两套回路安全地共存在了一个身体内……因为互相排斥而摧毁的身体脉络，却瞬间又被强大的愈合能力复原……而西流尔死亡的瞬间，鬼山莲泉就继承了六度王爵的身份和魂力，她身体里的这套灵魂回路立刻复制了一倍……她此刻等于拥有三套灵魂回路，她现在的魂力凌驾在我们所有人之上……”特蕾娅的声音越来越虚弱，看得出，她刚刚肯定在下面受到了难以想象的重创。

“不！这不可能！我才是六度使徒！就算西流尔死了！也应该是我来继承王爵的位子！你撒谎！”天束幽花突然冲出女神的裙摆的范围，她充血激动的脸庞上，是两行滚滚而出的泪水。然而，她忘记了，周围正在地裂天崩，漫天呼啸翻滚的巨大魂力，瞬间将她掀起，重重地摔向身后的岩石。她在如此巨大而突如其来的魂力压迫下，昏迷了过去。

“幽冥、漆拉、银尘、霓虹、神音……我以天格的身份，命令你们，现在立刻联手绞杀鬼山莲泉，务必不能让她离开这里！”特蕾娅口中涌出更多的鲜血。

话音刚落，五个身影突然冲天而起，仿佛流星般席卷向同一个目标——鬼山莲泉。

而下一个瞬间，本来正冲向妹妹准备会合的鬼山缝魂，突然像是着魔般地冲向霓虹。他全身的金色刻纹暴涨到了一个极限。而霓虹也本能地调动起全身的魂力，高举着他仿佛两把利剑般的双手，风驰电掣地朝鬼山缝魂冲过去。两个人的魂力都燃烧到了极限，仿佛都是同归于尽般的拼死一击。

“别杀他！别杀他啊！！”特蕾娅挣扎着坐起来，对着霓虹撕心裂肺地吼，“——他就是想死！”

巨大的爆炸声。

天上翻滚的乌云，瞬间出现一个空洞，仿佛天空被炸穿了一个口子。

幽冥、漆拉、银尘和神音的身影都被这股爆炸的气浪掀得远远飞去，他们卸掉了全身的力量，任由身体被狂风席卷着如同断线的风筝往后飘飞而去，只有这样才能抵消这股足以掀翻天地的力量。当刺眼的光芒散去，大空中颓然抛下的，是浑身千万道伤口、鲜血喷洒不止的霓虹，他已经昏迷不醒，残余的呼吸仿佛游丝，仿佛一颗陨石一样，朝大地坠落。

而另外一边，也如同一颗陨石般坠落的，是鬼山缝魂的尸体。

他的身躯已经冰冷，他的双眼却没有闭上。他眼眶里残留的泪水，混合着从他额头那条深可见骨的伤口处流下来的血，飞洒在辽阔的雷恩海域上空。

特蕾娅睁着双眼，仿佛难以置信，因为她明白，一个崭新的、足以压倒一切的王爵诞生了，或者说，一个拥有四套灵魂回路的怪物，诞生了……

“哥哥！！！”远处撕心裂肺的声音刚刚传来，就突然消失在一片巨大的空旷里，天地间有两三秒钟，突然失去了所有的声响，世界静止在了真空里面，周围的漫天雨水和血滴，如同悬浮般静止，石块以缓慢的速度飘荡在天空里……而片刻的寂静过去之后，一声震耳欲聋的爆炸声，从海银的身上传来，仿佛一颗陨石坠落到了大地上一样，顷刻间汹涌而来的光线让所有人都瞬间失去了视觉。

当刺眼的白光消失之后，视线的尽头，天地重新安静起来，只是岛屿已经被摧毁得只剩下零星的礁石。而大海的中央，仿佛一座新崛起的岛屿般大小的魂兽海银，此刻咆哮着，将它庞大的身躯展现在光线之下。而它的头顶，迎风屹立着面无表情、目光里充满着无穷无尽的杀戮的鬼山莲泉，她冷冰冰的声音，从大海的中央传来：

“你们杀了我哥哥……你们联手杀了他……不过没关系，他不会就这样孤零零地死去的……我会去陪他。但是在这之前……今天，我要你们所有人都在这里给他陪葬。”

“幽冥，你现在杀不死她了……”特蕾娅看着仿佛天神般冷漠的鬼山莲泉，嘶哑地说，“她现在是五度王爵，也是六度王爵……她是亚斯蓝历史上，第一个身兼双王爵的人……”

所有人的心都仿佛脚下的岛屿一般，沉了下去。

“如果幽冥一个人不够杀死她的话，那就我们所有的人。”漆拉突然从背后走出来，他望着远方天海边缘咆哮着的海银，“不过，我说在前面，杀完之后，特蕾娅，你最好给我们一个解释。否则……”漆拉没有说出下面的话来，但是，特蕾娅从他的瞳孔里，看到了冰川般的寒冷。

而下一个瞬间，鬼山莲泉不知道为什么，突然倒在了闇翅的背上，她仿佛忘记了刚刚自己说过的要他们陪葬的事情，突然驾驭起海银，朝着远处飞快地游动而去，海银岛屿般巨大的身躯在大海里劈波斩浪，卷起海啸般的巨浪。

“别让她走！”特蕾娅双眼白色风暴翻涌，她急迫地说，“她好像魂力出了问题……可能是两套灵魂回路出现了排斥……趁现在，可以杀死她！”

众人突然飞掠启动身形，仿佛数颗夺命的流星朝鬼山莲泉席卷而去，但是突然间，一个谁都想不到的变故发生了。

银尘突然冲天而起，然后调转回头，冲着漆拉、幽冥、神音等人，释放了三四件魂器，其中就包括刚刚那把无限分裂的细身剑。所有的人都只能纷纷躲避，毕竟，银尘是曾经的大天使，是谁都知道的事情，没有人会用生命来开玩笑，正面迎锋。

当所有人躲避完攻击之后，空茫的天地间，已经失去了鬼山莲泉和银尘的踪影。

“这是怎么回事？”漆拉望着特蕾娅问。

“刚刚在鬼山莲泉身体里的五度灵魂回路正在复制，她正在诞生为新的五度王爵的那个几秒钟天地一片寂静的瞬间，我们谁都没有注意到，她靠近了银尘，她对银尘说了些事情，于是，银尘就心甘情愿地跟她走了。”特蕾娅苍白的脸，被海风吹出红红的血丝。

“她说了什么？”幽冥的目光里充满着杀戮。

“她只说了一句话，那句话是……”特蕾娅的目光里此刻翻涌着无尽的怨毒和仇恨，但在这些之下，其实是无穷无尽无法掩藏的恐惧。

“那句话是：‘你跟我走，我带你去找吉尔伽美什。’”

第十五章

人　狱

经过一个夜晚之后，
苍茫的海天之间，
破晓的霞光渐渐从地平线上翻涌出来，
绚烂的霓虹仿佛神女华丽的衣袖，
蜿蜒弥漫在大海之上。
整个波光粼粼的海面，
倒映着破晓时金光泛滥的红，
仿佛一整面烧起来的火海。

【西之亚斯蓝帝国 · 雷恩海域】

经过一个夜晚之后，苍茫的海天之间，破晓的霞光渐渐从地平线上翻涌出来，绚烂的霓虹仿佛神女华丽的衣袖，蜿蜒弥漫在大海之上。整个波光粼粼的海面，倒映着破晓时金光泛滥的红，仿佛一整面烧起来的火海。

游动的红光，此刻映照在麒零和幽花年轻而稚嫩的脸上。他们正趴在半空中振翅悬浮的苍雪之牙毛茸茸的大后背上，看着脚下的大海，表情茫然而又悲伤，仿佛被遗弃了的两个小孩般，看着茫茫无际的天地，不知道何去何从。

周围飞舞着一些残留下来的魂兽，几个小时之前，天地间黑压压的暴动兽群，随着鬼山缝魂的死去和鬼山莲泉的离开，而渐渐从暴戾的迷乱中清醒过来，浑身沐血的各种海狮、海象、剑翅鱼、海蝶、海蛇、电鳗……纷纷重新沉入黑暗的深海。剩下一些还没有完全清醒的零星魂兽，孤寂地飞舞在辽阔空旷的天地之间，发出沉痛的哀嚎声。霞光照耀着它们千疮百孔的表皮，血淋淋的伤口历历在目。

整个岛屿此刻已经分崩离析，巨大的岩石四分五裂，不断缓慢地往海面之下坍塌坠沉，混浊苍白的浪花仿佛一群又一群贪婪怪兽的森然獠牙，咬碎了整个岛屿，把它吃进深海里。之前整个巨大的岛屿，此刻只剩下一些零星凸出海面的尖锐礁石，整个大海辽阔而空旷，海面上漂浮着大面积的魂兽血浆，在朝霞的映照下显得更加黏稠，视线里一片猩红的汪洋。

眼前在红日下燃烧起来的场景，看起来仿佛一个人间的炼狱。

麒零擦去眼角的泪水，茫然地望着天地间出神，他视线所往，是之前银尘抛下自己，义无反顾地离去的方向。苍雪之牙巨大的翅膀扇动着，带起冰冷的海风，吹动着他渐渐成熟的轮廓和鬓角。他的面容在硬冷的海风中，退去了曾经年少的青涩，而多了一些他这个年纪不应该有的沧桑。

银尘离去时决然而面无表情的冷漠面容，此刻还回荡在眼前，他朝着所有王爵使徒——包括自己——投掷出那些锋利而雷霆万钧的杀伤性魂器时，充满了一种在所不惜的决绝。那个时候，麒零突然感觉到一种被抛弃的痛苦，真实而又剧烈。他冲着离去的银尘大声呼喊的声音，也被天地间无数魂兽痛苦的嘶吼、悲鸣淹没，银尘完全没有听见。又或者，他听见了，可是，他没有回头。他突然像是又回到了孤儿的年少岁月，无依无靠，没有人关心自己。麒零在心里安慰自己，毕竟吉尔伽美什是银尘的王爵啊，对于使徒来说，最重要的，当然是自己的王爵了。如果今天换成自己，突然听到失踪了几年的银尘有了音讯，那么自己一定也会抛下一切，义无反顾地去寻找银尘的吧。他想到这里，眉目更深地皱了起来。他的脸依然强装着镇定的表情，但是他的眼眶却在刀割般的海风里，渐渐红了起来，一层浅浅的泪光浮动在他的眼底。他哽咽了一下喉咙，然后低头叹了口气。

银尘留下的女神的裙摆，此刻已经恢复了原始的白色棋子般的状态。麒零握在手心里，这是唯一还残留着银尘气息的东西，这是曾经银尘对他的守护——尽管现在他消失在了茫茫的天际。他闭上眼睛，运行着体内的魂力，感应着这枚小小的却又强大的魂器，然后将它收进了自己体内。他现在已经能逐渐熟练地使用自己无限魂器同调的天赋了。

“我们去哪儿？”麒零擦干眼泪，眼睛里密密麻麻的红血丝让他显得格外憔悴，他的声音带着成熟起来的低沉和磁性，不再像当初那个什么都不知道的少年了。

“我不知道。”天束幽花跌坐在苍雪之牙的后背上，目光空空洞洞地望着脚下翻滚不息的海洋。她的眼泪还挂在她娇嫩得仿佛花瓣般的脸庞上，风吹在上面，发出冰凉的气息。

麒零在天束幽花身边坐下来，握住她的手，他能够体会到她心里的痛苦，这种茫然天地间无依无靠的感觉，他从小到大都有。只是，这段时间以来，银尘一直守护着自己，所以，他忘记了这样的感觉，或者说，他以为这样的感觉再也不会有了。

麒零苦笑一下，对天束幽花说：“我先送你回雷恩吧。到了那里，再作打算。”

天束幽花目光空洞地点点头。

麒零站起来，抱住苍雪之牙的脖子，掉转方向，往霞光笼罩着的白色港口之城雷恩飞去。

【西之亚斯蓝帝国 · 港口城市雷恩】

飞行了大概一个钟头之后，远远地，麒零看见了稀薄的云层下雷恩的海岸线。

阳光此刻已经清澈发亮了，穿透稀薄的云层，将淡淡的日影投射在雷恩沿海巨大的白色广场上。为了让所有的居民都能欣赏到更多的海景，雷恩沿海的白色建筑，都遵循着沿着海岸线往内陆渐次拔高的规则，那几个最高的塔楼的顶端上，此刻巨大的吊钟开始发出浑厚而辽远的钟声，飞鸟从地面被惊起，沿着无数白色的高楼急速飞过，天地间传来无数夹杂在钟声里的“哗啦哗啦”的羽翅扇动的声音。

明亮的阳光下，早起的渔民已经划着大大小小的渔船出海捕鱼了。冬日的清晨非常地寒冷，即使在雷恩这样靠近南边的地方，也依然寒风刺骨。不过，已经习惯了海上生活的渔民，根本不在乎冬风的肆虐。他们的脸上都是朝气蓬勃的红色，一看就是长期习惯了海上生活的人，夏日的暴晒和冬风的凛冽，让他们的皮肤虽然粗糙，但是健康而结实。从高空望下去，波光粼粼的海面上，大大小小的渔船仿佛撒在湖面上的白玉兰花瓣一样。

而岸上大大小小的集市，也已经开始热闹了起来。来自各个地区的人们熙熙攘攘地采购和贩卖着各种货品。不时有拿着风车的小孩，穿着厚厚的冬衣在大理石修筑的广场上奔跑嬉戏。

麒零心里突然觉得一阵酸楚。黎明之前，距离此处不远的地方，还是一片杀戮的毁灭天地，整个海洋被血浆染得鲜红，而片刻之后，咫尺距离的这儿，眼前已经是安稳的平凡俗世。百姓安居乐业，岁月温婉静好。也许做一个平常的百姓比做一个使徒更加幸福吧。就像以前的自己一样，在福泽镇做一个驿站里面的店小二，每天看着来来往往的过客，日出而作，日落而息，空闲的时候和村里的几个年轻小姑娘打打闹闹，也挺幸福。

麒零转过头，看了看此刻正望着脚下的雷恩发呆的幽花，她的目光里滚动着一种难以描述的悲痛。麒零看着有点儿心疼，低声安慰她：“没事儿，我们马上就到家了。我送你回去。你和家人团聚吧。你妈妈爸爸正在等你呢。”

“我妈妈在我出生的时候就死了，”天束幽花抬起头，两行眼泪滚出眼眶，“而我父亲在我出生之前就失踪了，我从来没有见过他……直到他刚刚死的时候，我都没有见过他。”

“刚刚死？你是说你的父亲是……”麒零惊讶地回过头问。

“嗯。你应该已经猜出来了吧，永生王爵西流尔，就是我的父亲。”天束幽花眼眶里的泪水，在冬天的寒风里，在她眼角凝结成一颗小小的雪片冰晶。

“我没有猜出来……我完全没想到……”麒零看着幽花，此刻他终于理解到了为什么刚刚她会奋不顾身失去理智地冲出女神的裙摆的保护范围，不过，麒零脸色一变，突然想起，“但是不对啊，你说在你出生之前，西流尔，也就是你父亲就失踪了，那你身上的灵魂回路……那是谁赐印给你的？”

“我父亲并没有直接对我赐印，他把灵魂回路直接刻印在了我母亲的身体里，我母亲在怀上我的时候，她的子宫和胎盘以及脐带上面，都已经密密麻麻地建立起了一套完整的属于西流尔的灵魂回路。而在母亲子宫里发育长大、最终成形为胎儿的我，身体上自然也形成了这样一套完备而齐全的带有永生天赋的灵魂回路。”天束幽花望着海岸远处，那座属于她的家族的恢弘的塔楼群，目光里带着悲痛，也有一丝怨恨。

“但是不对啊，刚刚特蕾娅不是说，鬼山莲泉成为了新的六度王爵么？”麒零疑惑地看着天束幽花，“我记得银尘和我说过，一个王爵是不能同时对两个人赐印的，除非他的使徒死亡，他才能重新对第二个人赐印……”

“我母亲其实就是我父亲曾经的使徒，她在孕育我的时候就明白，在我不断成形的过程中，其实就是在不断掠夺她的灵魂回路和生命力，我出生的时刻，其实也就是我母亲死亡的时刻……所以，西流尔的使徒早就死了，我其实并不算是真正的使徒，在我逐渐长大的过程里，渐渐地就发现了这一点。我的魂力也好，或者我对魂兽的捕捉也好，甚至是我继承的天赋，都是残缺的，比如在沙漠、戈壁等完全干涸的环境里，我身体的愈合能力和其他的人几乎没有区别……完全无法和我父亲的那种近乎永生的恐怖新生能力相提并论，至于我对水元素的魂术操作，说得不好听一点儿，甚至有时候，我们家族里杰出的魂术师，都能胜过我……我比其他的使徒差远了。”

麒零看着天束幽花挂在脸上的结冰的泪痕，心里突然觉得她比自己还要悲惨。虽然自己从小没有父母，但是至少还有银尘关心照顾自己，而幽花，从小就没有任何一个人关心过她。连她的父亲，也是她的王爵，在死的时候都没有见她一面，还把王爵这个至高无上的荣誉，让鬼山莲泉——这个他从未谋面的使徒继承了。

“我们先去吃点儿东西吧。”麒零转过头，换了话题，然后牵引着苍雪之牙，往海岸边一处人烟稀少的地方降落。

【西之亚斯蓝帝国・雷恩海域】

天空里一道炫目的白光，仿佛流星般往海洋中的一个岛屿降落。光芒拉动着长长的光尾，沿路飞散出无数柔软的羽毛绒花。

当光芒带着飓风降落在岛上的时候，无数拉长的光线旋转流动，巨大的双翅将周围茂密的参天大树吹得猎猎作响。转眼，巨大的鸟身突然爆炸分裂成呼啸的光线，然后刷刷地旋转卷动进一个风眼，转瞬消失在鬼山莲泉的耳朵下方。

银尘和鬼山莲泉站立在这块森林中央的小片草地上。

鬼山莲泉的脸色苍白虚弱，刚刚那场大战几乎消耗光了她所有的魂力。而这并不是主要的，对莲泉来说，真正致命的打击，是鬼山缝魂的死亡。莲泉靠着一块巨大的石头坐下来，她看着站在自己面前挺拔而冰冷的银尘，用虚弱的声音说：“你不用急着逼问我，你让我休息一下，等我恢复了体力，我会把我知道的所有一切都告诉你。”说完，她轻轻地闭上了眼睛，仿佛睡着了一样。

银尘看了看她，没有说话，过了一会儿，他走向莲泉，抬起手朝她挥舞了一下，一个银白色发亮的阵在她的脚下旋转而出，持续转动的光芒里，无数金黄色的魂力碎片从地面上升起，不断地补充进莲泉的体内。

莲泉睁开眼睛，看着银尘，有些意外地对他轻声说了声“谢谢”，然后又重新闭上眼，仿佛沉入了睡眠。

银尘面无表情的冷漠面容下，其实是惊涛骇浪般的惊恐。

就在自己刚刚制作出阵，帮莲泉补充魂力的时候，他清晰地感受到了此刻莲泉体内不断孕育生长的灵魂力量。刚刚被西流尔强行种植进去的永生回路，经过了初期植入身体里的排斥阶段之后，此刻，已经和莲泉的身体融合成一体，巨大而蓬勃的魂力仿佛汹涌的河流不断在大地上开凿冲刷出新的支流，她的身体在不断地毁灭，同时又在不断地重生，仿佛一个山崩地裂后的大地正在缓慢重建。而且，随着鬼山缝魂的死亡和西流尔的死亡，存在于鬼山莲泉体内的两套回路瞬间变成了四套，这种爆发性的魂力激增正是此刻鬼山莲泉感觉疲惫的原因，她的肉体在这种汪洋般浩瀚的魂力冲击下，四分五裂，濒临死亡的边缘。但是，银尘非常清楚，当她体内的灵魂回路重新建立完整，双重王爵的天赋和魂力彼此共存于她的体内时，她将拥有多么可怕的力量，这是一种接近神或者说接近怪物的力量。

看着面前面容苍白虚弱的鬼山莲泉，银尘心里充满着未知的恐惧。也许这将是一股维护亚斯蓝帝国的崭新力量，也可能，这将是一场足以毁灭亚斯蓝的灾难。

莲泉醒来的时候，天已经黑了。皎洁的月光从茂密的树冠顶部仿佛晶莹的碎片般洒在地上，风吹动树叶，光斑四处游动，银尘那张冰雪雕刻般的精致面容，此刻就笼罩在这样一片星星点点的光芒里。

鬼山莲泉站起来，发现身体的力量已经完全恢复了，不仅如此，她明显地感觉到体内的魂力远远超过之前的水准。她运行了一下身体里的魂力，一个崭新的爵印从自己右肩膀的后方清晰地浮现出来。

“你现在可以告诉我，事情的经过了。”银尘的声音从夜色里传递过来，带着一种仿佛露水般的凉意。

鬼山莲泉沉默了一会儿，然后说：“事情最开始，是发生在深渊回廊里。那个时候，我和我哥哥正在深渊回廊深处，尝试着驾驭更大范围的魂兽，我们也是在一次又一次的实验里，不断地挑战着我们天赋的极限，对于我们来说，再也没有比深渊回廊更适合我们训练的地方了。那天我们走进深渊回廊的时候，起了特别大的雾，也就是在那片巨大的浓雾深处，我们发现了……”

银尘看着突然停下来的莲泉，他轻轻地接过她的话，“……白银祭司？”

“是的，我们发现了白银祭司，”鬼山莲泉的目光闪动着一片摇曳的光芒，仿佛无数回忆里的画面在她的眼眶里浮动，“但起初，我们根本不相信那个仿佛水晶般纤细脆弱的小男孩就是白银祭司，直到他讲出所有我们和白银祭司曾经发生过的对话，甚至有一些最秘密的、没有任何外人知道的事情，他也非常清楚。那时，我们才开始尝试着相信了他的话……

“尽管如此，但因为事情实在太超出常态了，我们都还是半信半疑，有太多不可思议的地方让我们质疑他的身份和他所说的种种。比如他为什么会突然从心脏的水晶地面里出来，出现在深渊回廊里？如果他真的是白银祭司，那么现在躺在心脏里的又是谁呢？这些他都没有解释，但是，他告诉了我们一件事情，我们就对他再也没有任何的怀疑了。”

“什么事情？”银尘隐隐地猜到了事情发展的方向。

鬼山莲泉抬起目光，看着面前神色凝重的银尘，她点点头，“其实你肯定也猜到了，事情和吉尔伽美什有关。当年，突然遭到所有王爵使徒联手追杀的，除了吉尔伽美什之外，作为天之使徒的你，也包含在其中，你应该比我更清楚整个过程吧。当年，白银祭司给出的理由是吉尔伽美什背叛了白银祭司和整个亚斯蓝帝国，不过，作为一直跟随着吉尔伽美什的三个使徒，你们三个深深地知道吉尔伽美什并没有背叛。你们选择了跟随他，用行动宣告着你们对他的忠诚和对这个罪名的抗议，直到你们三个使徒最后全部灭亡……当然，其实也说不上全部灭亡，当场被杀死的，其实只有海之使徒东赫。而地之使徒格兰仕，完全失踪。天之使徒，也就是你，银尘，全身的经脉和灵魂回路，被寸寸摧毁。而吉尔伽美什，则被囚禁在了一处早就为他设计好的‘监狱’里面……因为没有人可以杀得死他，他太强大了，哪怕是集合了所有二度到七度的王爵使徒，也只能将他困在那个‘监狱’里，而没有办法摧毁他的生命……

“当年的那场浩劫，你肯定还记忆犹新……虽然我和哥哥都没有亲自经历，但是，从各处听来的叙述里，我们也可以想象出那是一场多么惊天动地的战役……”

【西之亚斯蓝帝国 · 雷恩海域】

漫天的星光点缀在黑蓝色的夜空里，仿佛天神随手撒在天鹅绒上的钻石。

巨大的海面波光粼粼，倒映出的星光、月光，将整个海天的界限抹去，巨大的天地仿佛浑圆的初始。

银尘迎风站在海边一块黑色的山崖上，他身边站着鬼山莲泉。

“其实我对四年前的那场浩劫，几乎没有什么记忆了。我甚至觉得自己其实已经是死了的，因为我记忆的最后，是格……是别人杀死我的画面。但是之后我重新又活了过来，苏醒过来的时候，我已经在帝都的心脏里了。那个时候，白银祭司告诉我，我之前身体里的所有经脉和灵魂回路，全部被切割断裂了，新的身体虽然愈合了，但是，之前的灵魂回路，已经被新的肉体覆盖了，封印在了最底层。不知道什么时候才会重新恢复之前的魂力，也有可能永远都不会。所以，他们在我全新的肉体上，种植了新的灵魂回路。赋予了我崭新的天赋。

“白银祭司没有对我解释，为什么会对我的王爵吉尔伽美什和我们三个使徒下如此残忍的追杀红讯，也没有人告诉我，吉尔伽美什是死是活。我被任命，接替死去的费雷尔，成为新的七度王爵。在成为王爵之后漫长的时间里，我一直在这个国度里寻找，想要找到他们。因为我相信，格兰仕没有死，吉尔伽美什没有死。”

莲泉望着星光下的银尘，他的眼眶泛着红色，瞳孔湿漉漉的，仿佛被海水冲刷得温润光滑的黑色石块。

“所以，只要找到吉尔伽美什，一切就都有答案了。”莲泉望着天海的远方，对银尘说。

“你知道吉尔伽美什在哪儿？”银尘回过头，声音里掩藏不住他的激动。

“囚禁吉尔伽美什的‘监狱’其实就是西流尔的肉身。吉尔伽美什被囚禁的位置，就在西流尔幻化的岛屿之下。任何一个能够囚禁强大魂术师的地方，除了需要物理条件上的密闭空间、坚不可摧的四壁之外，都必须以一个具有强大魂力的事物，作为封印，否则，一些强大的魂术师，就算你把他囚禁在大洋之底，或者铜墙铁壁中间，他依然能够逃脱。封印可以是任何具有强大魂力的东西，比如魂器，或者魂兽，等等，作为封印的事物越强大，那么这个囚禁之地就越难被破坏。所以，作为囚禁吉尔伽美什的地方，他们选择了以“一个王爵”作为封印，如果西流尔不以自己的肉身作为封印的话，没有任何一个地方可以囚禁住吉尔伽美什。但是，作为封印的东西，魂力都会逐渐消耗，当封印的魂力消失之后，这个囚禁之地也就自动失效了。所以，越强力的封印，有效的囚禁时间也越长。而西流尔那种独特的天赋，使得他可以将自己和岛屿融为一体、永生不死，有效的囚禁时间就几乎接近了永恒……他把自己制作成为了一个活体封印。”

银尘看着鬼山莲泉，眼眶里流出两行清澈的眼泪，泪光点缀在他仿佛冰雪般完美的脸上，格外让人动容。鬼山莲泉仿佛有些不忍，停了下来。

“没事，”银尘的声音依然平稳，听不出情绪，“你继续说。”

“其实当年西流尔消失的时候，吉尔伽美什还没有出现，并没有成为一度王爵。那个时候，漆拉还是一度王爵，特蕾娅和幽冥去找漆拉的时候，其实西流尔的肉身都已经大部分幻化为岛屿了。所以，严格地说来，在吉尔伽美什还没有出现的时候，这个庞大的猎杀计划，就已经诞生了，那个时候，白银祭司就已经决定牺牲西流尔去制作这样一个‘监狱’了。”鬼山莲泉望着银尘，叹了口气。

“那也就是说，白银祭司所谓的吉尔伽美什的背叛，完全是借口？我们从还没有成为王爵使徒的时候，就订下了猎杀我们的计划？那为什么还要让我们成为王爵使徒呢？”银尘的目光闪动着，尽量控制着自己的情绪，但是，他难以掩盖住内心里翻涌不息的震惊。

“吉尔伽美什的灵魂回路，几乎可以称得上是白银祭司有史以来赋予过王爵的最巅峰的魂路，但是同时也可以认为，是白银祭司的一个失败。因为他们三个亲手创造了一种凌驾于所有现存的、接近神级的灵魂回路，甚至连白银祭司自己都没有把握是否能够压制得了的灵魂回路。所以，在创造出这个一度王爵的同时，他们就已经准备好了这样一个‘监狱’，以防万一有一天无法控制吉尔伽美什的时候，可以用来镇压封印他——但是，一件偶然发生的事情，让白银祭司不得已，决定提前实施这个计划……”

“什么事情？”银尘问。

“出于某种原因，吉尔伽美什竟然在魂塚里，得到了魂器【审判之轮】。”

“……我跟着王爵那么多年，我一次都没有见过他使用魂器，而且我也不知道这个审判之轮是什么。为什么因为王爵得到了这个魂器，就一定要猎杀他呢？”银尘问道。

“刚才我也已经说了，本身吉尔伽美什的灵魂回路，就已经是一个超出白银祭司控制能力的恐怖回路，而得到了审判之轮的吉尔伽美什，他的实力在理论上，就已经有可能凌驾于白银祭司之上了。”

“审判之轮到底是什么东西？”

“你知道我们的魂器是诞生于魂塚里吧，奥汀大陆上，水源亚斯蓝帝国、风源因德帝国、火源弗里艾尔帝国和地源埃尔斯帝国，分别都有自己的魂塚，各个帝国因为属性不同，所以魂塚里产生的魂器属性也不相同，举个例子，从亚斯蓝的魂塚里，你是不能从其中找到一件【火属性】魂器的，所有的魂器都是【水属性】，区别只在于强弱，或者是攻是防。”

“嗯，这个我知道。”

“那么，问题就在这里。在说审判之轮以前，我一定要先告诉你一个秘密，知道这个秘密的人，可能目前整个亚斯蓝就只剩下吉尔伽美什和我了。”

银尘沉默不语。他的面容在星光下显得清冷，然而他的内心，却隐隐地涌动起一种不安。

鬼山莲泉继续说道：“现在奥汀大陆上的四个国家，每个国家都有三个白银祭司，一共十二个白银祭司。他们和我们其实是来自于不同的世界的，你可以理解为，他们来自神界，他们也是这样称呼自己的——十二天神。他们十二个，分别是智慧之神、力量之神、海洋之神、天空之神、大地之神、火焰之神、梦境之神、死亡之神、生命之神、时间之神、光明之神、黑暗之神。而他们各自都拥有属于他们自己的十二把佩剑，每一把佩剑都拥有属于他们各自的力量。这十二把神剑，组合在一起，就是审判之轮。审判之轮是没有属性的，它拥有所有的属性，但是又不属于任何一个属性，也许是因为吉尔伽美什特殊的天赋造就了他的身体拥有所有属性，但又不属于任何属性，所以，他在魂塚里，竟然召唤出了审判之轮，又或者说是命运的玩笑，审判之轮选择了他。”

银尘望着鬼山莲泉的面容，心里的惊讶如同面前浩瀚无垠的大海，“你怎么会知道这些？”

“你说呢？”鬼山莲泉没有看他，而是望着黑色的大海发呆。

“……那个深渊回廊里的少年告诉你的？”

“嗯。所以我和我哥哥才会那么相信，他就是白银祭司。”提到她的哥哥，莲泉的声音稍稍有些哽咽起来。

银尘的目光柔软了下来，“那个少年，如果他是白银祭司的话，他怎么会一个人单独出现在深渊回廊呢？如果他真的是白银祭司，那现在格兰尔特心脏里的，又是什么人？”

“这些，那个少年都没有对我们讲，我觉得他的话语里也有保留。肯定有一些事情，是他不愿意对我们说的，可能这是属于白银祭司，也就是十二天神之间最大的秘密吧。他对我们的要求，就是希望我们帮他找到吉尔伽美什，将他解救出来，他告诉了我们吉尔伽美什被囚禁的地方，也就是西流尔幻化成的岛屿之下。少年说，只有吉尔伽美什，才能拯救这个大陆。”

“拯救这个大陆？是什么意思？”

“我们没有听明白，他也不肯继续告诉我们。只对我们说，只要救出吉尔伽美什，我们自然就知道了。如果没有成功，那么，就让这个秘密永久地沉睡在海底，也可以。”

“原来如此。那是否也是在你告诉了西流尔这些之后，西流尔才会决定牺牲自己，将自己的灵魂回路刻印在你的体内，然后以自己的死亡，促使你成为新的永生王爵？”银尘看着鬼山莲泉，目光里仿佛沉睡着一片漆黑的草原，风吹动着起伏的草浪，一片波澜壮阔的黑暗。

“是的，我将那个少年，也就是落单的白银祭司告诉我的话，全部告诉了西流尔，我没有想过西流尔会选择我。可能是因为他相信了我的话，也可能是因为他对永恒的生命已经厌倦了。或者说，他自己其实并不想成为一个永恒的封印。所以，他解脱了自己。而且，他告诉了我，前往囚禁吉尔伽美什之地的方法。之前我只知道，吉尔伽美什被囚禁在这个岛屿之下，但是，当西流尔告诉了我详细的情形之后，我才意识到，在白银祭司心中，吉尔伽美什肯定已经强大到了不得不永远封印他的地步，否则，他们不会制造出那么恐怖的、几乎毫无生还机会的一个牢笼。”

银尘在岩石上坐下来。

突如其来的疲惫，仿佛从身体深处涌动起的温热泉水，将自己包围了。大脑里是一种昏昏沉沉的混沌感，就像刚刚经历了一场精疲力竭的杀戮之战。他感觉快要虚脱了。

多少年来的困惑，多少年孤独的漂泊、寻找、等待，在此刻都变成了星空下一个接一个的秘密。有些秘密揭晓了，有些秘密依然沉睡在巨大的地底迷宫。

他抬起手掩住眼睛，但是指缝里的泪水，还是被海水吹得冰凉。他没有哭出声音，甚至没有动作，仿佛一个睡着的人一样安静。

漫长的黑暗，广袤的星空下面，他突然觉得自己那么孤独，也那么渺小。这个世界突然被划开了一道口子，他此刻才发现，裂缝外面，还有更加庞大的未知的黑暗。

“但是我要告诉你，并不是这个岛屿下面，就直接是囚禁吉尔伽美什的地方。要到达那个‘监狱’，并不容易。”鬼山莲泉看着银尘，脸色凝重。

“什么意思？你之前不是说吉尔伽美什就囚禁在岛屿下面么？”银尘问。

“确实如此。但是，这个岛屿下面，有好几层，每一层都截然不同。”鬼山莲泉说。

“好几层？”

“对，就像地狱一样，需要经过一层一层的试炼。”鬼山莲泉从地上随手抄起一块白色的石头，在地面上画着草图，说道：“你肯定去过魂塚吧？

这个岛屿下面的一层空间，就是魂塚。你应该知道，魂塚底部蛰伏着亚斯蓝四大上古魂兽之一的祝福，我们要再往下，必须先通过它这一关。第二层空间，我们之前都去过，那就是尤图尔遗迹，它的位置，就在魂塚的正下方，穿过祝福之后的更深处的地底。那个时候我们并不知道，这个遗迹存在的意义。现在我知道了，里面所有的亡灵，并不是为了守卫什么，而是为了囚禁镇压吉尔伽美什，如果他能从最底层逃脱的话，那么，这些亡灵，和再上面的祝福，都是为了对他进行最后的阻止。”

“那再下一层呢？”银尘问道。

“再下一层，就是囚禁吉尔伽美什的地方了。但是，具体情况，西流尔没有告诉我。那个时候，时间太仓促了。西流尔只来得及对我说，那个地方对魂术师来说，是真正的人间地狱，上面三层负责镇守的万千亡灵与上古魂兽祝福，以及作为封印存在的王爵肉身和最后一层比起来，完全不值一提。说到这里，他就没有再详细告诉我了。”

银尘凝重地点点头，又轻轻地叹了口气。尽管他曾经贵为天之使徒，现在又已经收集了数量可观的众多魂器，同时，鬼山莲泉又是身兼双重魂力与天赋的亚斯蓝历史上从未出现过的王爵，但是，对万千的亡灵和上古魂兽祝福，他也完全没有把握，更何况，还有那个未知的“最后一层人间炼狱”。

但无论如何，他是一定要救出吉尔伽美什的。

既然知道了他依然活在这个世界上，那么无论是哪儿，他也会前往营救。就算他营救不了，那就和他囚禁在一起，也好。

“天一亮，我们就去找吉尔伽美什。”鬼山莲泉的声音，在海风里带着湿漉漉的水汽。

“好。”银尘抚了抚湿润的眼睛，开心地笑了。

第十六章

远　世

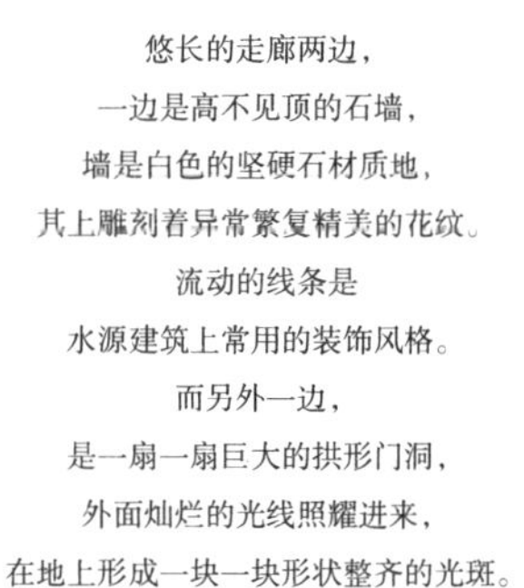

悠长的走廊两边，
一边是高不见顶的石墙，
墙是白色的坚硬石材质地，
其上雕刻着异常繁复精美的花纹。
流动的线条是
水源建筑上常用的装饰风格。
而另外一边，
是一扇一扇巨大的拱形门洞，
外面灿烂的光线照耀进来，
在地上形成一块一块形状整齐的光斑。

【六年前】

【西之亚斯蓝帝国 · 格兰尔特 · 心脏】

悠长的走廊两边，一边是高不见顶的石墙，墙是白色的坚硬石材质地，其上雕刻着异常繁复精美的花纹。流动的线条是水源建筑上常用的装饰风格。而另外一边，是一扇一扇巨大的拱形门洞，外面灿烂的光线照耀进来，在地上形成一块一块形状整齐的光斑。

这里是格兰尔特地底，按理说应该暗无天日，但是，门洞外剧烈的光线却照得人毫发毕现。没有人质疑种种违反自然现象的情景。在这座倒立在帝都王宫之下的心脏里，还有很多很多无法用自然物理常识解释的事情。比如这座地底城堡里有无数面垂直悬挂的水墙，液体仿佛失去重力般竖立在空气里。又比如，那块埋藏在最深处的巨大【水晶】。

此刻，幽冥和特蕾娅正穿过这条走廊，然后通过一个旋转而下的石梯，往更深的地底走去。

他们两个刚刚成为王爵不久，来心脏的机会也不是很多。像今天这样，直接被白银祭司召唤的情况，更是少有出现。两人一路都沉默着，没有言语。幽冥的表情是他一贯的森然阴冷，仿佛一个刚刚从墓地里爬出来的鬼魅，只有他半裸露在空气中的健壮胸膛散发着热量，酝酿着一种邪气的性感。而特蕾娅，依然在脸上维持着她那媚惑而又动人的盈盈微笑，她的眼珠子四处灵活地移动打探着，瞳孔里白色的混浊丝絮如同云雾般翻滚不息。

沿着石梯走到了下面一层，迎面而来的是另外一条走廊，没有了之前灿烂的光线，走廊两边是森然密闭的石墙。走廊的光源来自墙壁上每隔一段距离安置的一盏雕刻精致的水晶壁灯，说是壁灯，其实准确说来，更应该说是镶嵌在墙壁上的一块一块镜子般大小的水晶。水晶里面散发着迷幻而绚丽的光芒，不知道是火还是宝石又或者什么别的物质，在每一块水晶里面兀自明灭起伏着。走廊在这样起起伏伏的灯光之下，看起来像一条又大有长的在呼吸的活物。

然而，这并不是最让人惊讶的事情。

最让人惊讶的，是走廊的地面。

“这是……水？”特蕾娅停下脚步，目光朝向前方，走廊的尽头藏在一片昏暗的深处，脚下是这样一条笔直狭长的漆黑水域，“怎么过去？”

特蕾娅看着脚下的深不见底的幽暗水面，按道理来说，这样密闭的空间里，水面应该是如镜般毫无波澜，但是，眼前的水，却持续翻涌着细小的波纹，时不时有一道涟漪从某一处水面“倏”的一声蹿出去很远——仿佛，水下潜伏着无数未知的速度极快的怪物。特蕾娅的双眼此刻已经翻涌起无数白色的气浪，仿佛想要看穿水底的秘密。

“做一段冰桥不就行了。”幽冥冷冷地笑了笑，完全没放在心上。

特蕾娅仿佛没有听见他的话似的，双眼直直地盯着面前的笔直狭长水域，水域一直往前，延伸到走廊的尽头。

幽冥看特蕾娅没有答理自己，以为她对刚刚自己的话不以为然，于是幽冥朝前幽幽地迈过去两步，在水池边蹲下来，似笑非笑地说："虽然这块水域太过狭长，魂力不容易到达那么遥远的距离，而要维持这么长的一条冰冻，更是困难，何况完全不知道这个水到底有多深……但是，好歹我也是新晋的二度王爵，特蕾娅，你小看我了……"说完，他伸出手，白皙修长的手指朝水面轻轻一按——

"别碰那个水！"特蕾娅尖锐的嗓音在走廊狭窄密闭的空间里反复回荡着，像要穿破人的耳膜。

与此同时，轰——轰——

连续几声爆炸声，水面突然蹿出两三股银白色的冰柱，特蕾娅身上的黑色丝绸裙摆突然暴涨，黑色的衣裙下面，两股卷动而出的白色丝绸卷裹起幽冥，朝后方用力一扯，"咔嚓"几声，锋利的尖锐冰柱从幽冥的胸膛上几乎贴着擦过，几缕鲜血飞洒在空中。

卷动的白色丝绸旋转着收回特蕾娅的身躯，重新裹紧她曼妙的身材，她的面容惨白，大口呼吸的胸口微微起伏着，仿佛还没有从刚刚的危险里恢复过来。幽冥半蹲在地上，他伸出手抹了抹胸口被划开的地方，肌肤缓慢地愈合着，他把手指放在嘴里，吮吸了一口自己血液的腥甜，嘴角依然是那个不羁的邪气笑容。然而很快，他的笑容也凝固在嘴角了。

刚刚进攻他的那几股冰柱，此刻正缓慢扭动着，滑回水底，但是，面前的场景却太过诡异了——其实将水制作成锋利的冰箭、冰墙等固体状态进行攻击，是亚斯蓝领域上最司空见惯的做法，但是眼前……眼前的场景，如果非要形容的话，就是面前的冰柱是"软"的。这是一种很奇怪的形容，在真实的世界里，软的冰和硬的水、冷的火、烫的雪一样，都是不存在的，都只能存在于最荒诞的梦魇里，然而眼前那几股白色的冰柱，确实如同巨大章鱼的触手一样，柔软而恶心地，缓慢滑进了幽暗的水底。冰柱彼此摩擦发出"咔嚓咔嚓"的声响和掉落的锋利冰屑，又证明着它的锋利和坚硬……这实在是太难以理解了……

"你们在这里，也敢轻举妄动，实在是太自不量力了。"幽暗的走廊深处，传来一个晦涩不清的男人声音，声音里有一种明显轻蔑的语气。

特蕾娅举目望去，模糊不清的光线里，站着一个穿着银白色兜帽的使者，他戴着面罩，只幽幽地露出眼睛那个区域，昏暗的光线下只看得见一双精光四射的眸子。“站在原地不要动。”说完，那个使者上前两步，蹲下来，他伸出手，从他的袖子里，钻出一条银白色的玩意儿，看起来像一条小白蛇，又像一条雪地蛞蝓。

白色的活物倏忽一下就钻进了水里，漆黑的水面仿佛煮沸一般，翻涌起大大小小的气泡和浪花，一眨眼的瞬间，一块一块白色的方块冰砖台阶，从水底升上来，从走廊尽头一格一格地延伸到了特蕾娅和幽冥脚下。方块冰砖在水面浅浅漂浮着，连成了一座白色的浮桥。

“走过来吧。”使者沙哑的声音听起来毫无感情。

特蕾娅和幽冥彼此对望一眼，吃不准眼下到底是什么样一个局面，但是，他们也只能听从命令前行。

每一块浮冰中间的距离都不一样，特蕾娅每跳到一块冰砖上，都仿佛能听见水底传来一种奇怪的呜咽的声音。那种声音说不出来的怪异，仿佛有人在水底哭泣似的……特蕾娅这样想着，低头朝脚下一看，然而，她被自己脚下的场景瞬间吓得满脸苍白，“这……”对她这种见多识广、心狠手辣的女爵来说，要让她发出惊呼，不是一件容易的事情，所以幽冥快步跳过几块浮冰台阶，站到特蕾娅身边，伸出手扶住她的肩膀，低声问：“怎么了？”

特蕾娅没有说话，只是低下头，用目光暗示幽冥。

幽冥往脚下一看，脸色瞬间苍白。

他们脚下的每一块浮冰下面，漆黑的水里，都有一双苍白而骨瘦如柴的手贴着浮冰的底部，向上用力地托举着，那些白森森的手臂上都是泛着淤青的血管和浮肿的皮肤，但是，漆黑的水面更深的地方，却看不到了，只能看得见这样一双手，托举着每一块浮冰，那么，那些每当踩到一块浮冰上时，水底传来的呜咽声，岂不是……

特蕾娅双手冰凉，她抬起头，望了望走廊尽头的白袍使者，目光里是颤抖的恐惧，她甚至觉得这里比【那个地方】还要恐怖……

走完了这段阴森的水面，特蕾娅和幽冥站在白袍使者面前，使者朝右边的那扇沉重的石门指了指，说："进去吧，白银祭司在里面等你们。"

特蕾娅和幽冥朝里走，走了两步，特蕾娅回过头来，看着使者，使者的面容依然沉浸在一片看不清的黑暗中，"你们两个先进去，我还要等一个人。"

特蕾娅轻轻咬了咬嘴唇，伸手推开了沉重的石门。

"啪嗒，啪嗒……"

过了一段时间之后，走廊里传来了一阵有规律的脚步声，白袍使者之前一直矗立在黑暗里，仿佛一个没有生命的雕塑一般，此刻，听见声音的他又恢复了活动。他抬起那双藏在黑暗里的眸子，看着走廊里走来的三个人。

脚步声其实只来自其中两个人。

其中一个的脚步非常优雅而克制，脚底镶嵌着金属和宝石的靴子撞击坚硬的石材地面时，也只发出一点点的声音，从这一点上来说，这个人的性格应该是非常理性而克制，同时也深不可测。

而另外一个人的脚步声，就非常清楚，甚至有些放肆了。他的步伐明显要快很多，呈现出一种锐利的冲劲儿。靴子敲击地面的声音，仿佛清晰的战鼓，充满了一种雄性的力量。

而走在最中间的那个人，却仿佛行走在空中一样，他那双白银镶边的靴子仿佛踩在云中一样，没有发出任何声响。

白袍使者把僵硬的身子轻轻朝前倾斜，他鞠躬致意，"您来了，一度王爵，吉尔伽美什。"他的声音依然低沉，但是明显听得出，冷冷的声音里，其实带着一种隐隐的恐惧之意。"我来为您解除这个水面的封印吧，这个水域已经被白银祭司用魂力布置过强力的攻击魂术……"

"不用啦！"白袍使者的话音被那个走路带着冲劲儿的年轻人打断，他抬起手一挥，两边墙壁内部突然爆破出"轰轰轰——"一连串巨响，坚硬的古老石壁上离水面一米高度的地方，整齐地冲出一根根方形石柱，力道万钧地插进对面的墙壁上，顷刻间，水面上就凌空架起了一座由无数根石柱组成的桥梁。下方的漆黑水面纹丝不动，翻滚着的幽光依然潜伏在水底。

"格兰仕，你刚学会使用地元素没多久，不要乱来，万一把这里搞塌了怎么办？”走在左边的年轻人，低声呵斥道。他的声音里有一种稳重和克制。

“东赫，你能不能别这么每时每刻都教训我啊？正因为我刚刚学会地元素，所以不更应该让我多多练习么？而且，王爵还在这儿呢，我就算把房顶搞垮了，他抬抬手指头，不也就瞬间复原了么？”格兰仕挑了挑他漆黑锋利的眉毛，嘴角歪歪地露出一小寸白色的牙齿，坏笑地拉过中间那个气宇轩昂的人的胳膊，“你说是吧，王爵。”

“别的地方可以，”吉尔伽美什看着面前的男孩，宠爱的表情溢于言表，“你把这里给搞塌了，我也回天乏术。”

三个人一边说着话，一边从水面上方的一根一根横空的石柱上走过，走廊尽头的使者看着他们三个，心里无限惊讶。虽然他以前就听过吉尔伽美什的威名，甚至很多人都传说他是亚斯蓝历史上最巅峰的一个一度王爵，但是亲眼看见的时候，那种震撼难以言述。仿佛从天而降的天神般，笼罩在光芒里的三个人。

“请进左边的这间石室，白银祭司会在里面等你们。”使者低着头，朝左边的方向指了指，不再说话。他压抑着心里的恐惧，他难以相信，水源亚斯蓝帝国上的王爵和使徒，竟然能够自由地使用属于南方最神秘的那个国家，地源埃尔斯帝国的地元素。而且，从他们的对话里，可以知道，这个凭空建造出一排石头阶梯的年轻使徒，竟然是“刚刚学会使用地元素不久”，白衣使者偷偷抬起头，看着前方一整排整齐划一、工整笔直的石柱，没有精准的魂力控制，是不可能做到每一根石柱都同样粗细大小，同样横平竖直的。

他额头上冒出一层细密的汗来。

原来这就是传说中深不可测的一度王爵和他的使徒们。

房间很大。光线很暗。

整间房间内没有任何的摆设，四壁上也没有任何的花纹装饰。六芒星形的穹顶高高耸起，往上会聚成一个尖顶。尖顶的正中是一颗巨大的水晶，此刻正散发着幽蓝色的光亮，正是房间内唯一的光源。

幽冥和特蕾娅站立在房间的中央，彼此都沉默着，特蕾娅双眼中翻滚的白色风暴一直没有停息，但是，以她这样出类拔萃的【魂力感知】天赋，也无法判断周围的状况。自从开始从心脏大殿往下走，越往深处，魂力翻涌就越强烈，到了这里的时候，周围的魂力已经汹涌错乱到难以分辨了，仿佛置身在海底旋涡的中心一样。

空气里轻轻"嗡——"的一声，正对他们俩的那面墙壁，突然变成了一整面透明的水晶质地，幽蓝色的光芒朝两人迎面射来，幽冥眯起眼睛，看见了水晶墙壁里的模糊人影。他和特蕾娅双双跪下低头。

"这次叫你们来，是有新的任务，需要你们去完成。"水晶里的人影渐渐清晰起来。高贵复杂的服饰，战斗的铠甲和精致的王冠，天神般精致的容貌——永远沉睡在水晶里的白银祭司。

特蕾娅抬起头，脸上带着敬畏的神色，"随时愿意为您效命。"

"你们应该知道你们两个人的身份吧？"白银祭司的声音在水晶深处，听起来遥远而又混浊，但是却有一种锐利而不可抗拒的神圣感，仿佛从天上降落头顶的神的低语。

"我们是侵蚀者。"特蕾娅低头，小声地回答。

"错了，"白银祭司双眼依然紧闭着，脸上没有任何表情。"应该说，你们曾经是侵蚀者。因为新一代的两位侵蚀者，已经诞生了，而你们的任务，就是前往你们曾经'诞生'的地方，去迎接他们，让他们成为你们的使徒。"

"为什么……当初我们'诞生'的时候，也是自己走出那个洞穴的，也没有任何王爵来让我们成为他的使徒啊？"特蕾娅低着头，疑惑地问道。

"因为他们和你们不一样，你们是带着清晰的记忆从'那个地方'走出来的，你们记得所有的事情，也记得所有的起源、因果和你们身上肩负的使命。但是这一代侵蚀者，他们在走出洞穴前的最后一刻，都会被洗清记忆，在看见洞穴外第一丝光线的时候，他们的脑海也如同外面的雪原一样，空白一片，回归原始。所以，需要你们去接应他们。等到适当的时机，再告诉他们，他们真正的身份和使命，也就是和你们一样的，侵蚀者。"

特蕾娅震惊地抬起头，这个时候，她才看清楚，水晶里的人影，只是孤单的一个，是三位祭司中的那位女祭司。她纤长的睫毛仿佛柔软的白色羽毛垂在闭紧的眼睑之上，她的面容低垂，笼罩着一层高贵的静谧。这和之前每一次出现都是“三位一体”状态的白银祭司不同。特蕾娅隐隐感觉有什么地方不对劲，但是又说不出来。谁规定白银祭司一定要三个一起出现一起消失的？但是，看着水晶里仿佛凝固的琥珀般、闭目沉睡的白银祭司，特蕾娅的呼吸急促起来，“为什么会洗去他们的记忆？这样他们岂不是失去作为侵蚀者的意义了？还是说，他们这一代的侵蚀者，不需要再肩负曾经属于我们的那种‘杀戮’的使命？”

“特蕾娅，作为一个王爵，你应该明白你的使命是执行每一个来自我们的任务，而不是一直询问‘为什么’，如果有必要，我们会告诉你们。但，这次，你们只需要去执行就可以了。找到新的侵蚀者，让他们成为你们两个的使徒。就这样。”

石室内的光线瞬间熄灭下去。刚刚还仿佛幽蓝色海底般的波光涟影，瞬间又只剩下头顶幽幽的一颗孤星般的光源。

特蕾娅依然陷在震惊的情绪里，直到幽冥有力的小臂将她从地上托起，她才回过神来，她望向幽冥，第一次，她在他的眼里看见了恐惧和沉默。曾经的他，眼里只有不羁，只有杀戮，只有见神杀神、遇佛杀佛的乖戾，而现在，他的眼里漆黑一片，颤抖着零星的碎光。

幽暗的光线里，三个穿着几乎一模一样战袍的人站立在石室的中央，他们都静默地肃立着，除了格兰仕偶尔把身体的重心从左脚挪到右脚。吉尔伽美什和东赫垂着双手，目光静静地投向前方石壁，就连顽劣的格兰仕，此刻也被空气里弥漫着的一种庄严而敬畏的气氛所感染，不敢造次。

“嗡——”的一声弦音，石室内蓝光爆射，前方石壁突然幻化成一片波光潋滟的幽蓝大海，黑褐色的岩石迅速裂变为整面巨大的剔透水晶，三个人恭敬地跪下来，一个人影从蓝色光芒里浮现出来。他的面容如同神祇，眉弓高高耸起，眼窝深陷，白银铸造的精致王冠锁在他的额头上，他低垂着双眼，无法看清他的眸子。

“吉尔伽美什，以及地、海二使，此次召集你们来这的原因，是告诉你们，天之使徒的人选已经找到，请尽快前往，将其带回心脏，进行赐印。”

“好的，尊贵的白银祭司。这一次，使徒出现的地方是在哪儿？”吉尔伽美什低着头，礼貌但平静地询问道。

“东方边境之镇，【褐合镇】，他的名字叫银尘，是一个十七岁的少年。”水晶里的男子，声音模糊低沉。

“褐合镇那种蛮荒边境，远离亚斯蓝魂力的中心，并且同时接壤风源和火源两个帝国，魂力元素复杂，能有潜能魂力高到能成为天之使徒的人出现么？”吉尔伽美什抬起头，继续补充问道。

“你忘记你的天赋是什么了么？能植入你身体内的灵魂回路的人，本身就不可能是天生纯粹的水源之身。这样的元素交错、魂力互相影响繁衍之地，才可能诞生出能够将你身体内的魂路发挥到极致的人。”

“好的。我明天就出发前往。”

“你今天就出发前往。”水晶里的白银祭司目光低垂，但是语气却没有一丝余地。

“好。”吉尔伽美什跪在地上，把头往下深深一垂。

石室内的光线瞬间消失，一切又重新回归混浊。

头顶幽幽的蓝光照在东赫的脸上，他看着缓慢站起来的吉尔伽美什，问道：“王爵，据我所知，褐合镇现在几乎是被火源帝国的人占领着，经常和风源以及我们水源发生边境冲突问题，您贵为一度王爵，而且还带着我和格兰仕两大使徒，这样大动作地前往，很容易引起风、火两国的敏感吧？”

“所以我们速去速回，找到那个名叫银尘的男孩之后，就迅速地离开。一路上，也尽量隐藏自己的身份，便装前往。”吉尔伽美什的脸，在蓝色的光线下，仿佛水晶雕刻般的俊美。

“实在不行，就把那个银尘一拳揍晕，然后装在麻袋里，扛回来便是。王爵不用担心，我一个人前往都不会有问题，何须您亲自出马。”格兰仕嘴里叼着一缕自己的头发，嘿嘿地笑着，少年俊朗的容姿在他脸上展露无遗。

“你能不能打得过他，还是个未知数。”东赫看着格兰仕，摇了摇头。

“那不可能。一拳下去，他应声倒地。”格兰仕眉毛一拧，撩起半截袖子，露出结实的小臂肌肉。

“也对。你啊，赶紧趁还打得过他的时候，赶紧欺负。因为很快，他就是天之使徒了。别忘记，三个使徒里，天使位置最高，也是公认的天赋能力最强的人。白银祭司既然选择了这个银尘，那自然有他的道理。”

“是，王爵。”格兰仕低头一合拳，但心里却想的是“哼，那不可能”，但他也只敢在心里哼哼，嘴上完全不敢说出来。

【西之亚斯蓝帝国・极北之地・凝腥洞穴】

风暴渐渐地停止了。

刚刚在天地间翻涌不息、肆虐冲撞的拳头大小的雪团，此刻已经消失不见。暴虐的气流已经停止，天地间只剩下轻微的风，大片大片鹅毛雪花，悠然地在空中飘扬着，庞大的天地此刻看起来一片温柔的静谧。

眼前是一片空旷广阔的雪原，地面上铺满了厚厚的积雪，仿佛柔软的云层。目光的尽头，是拔地而起的黑色山崖，山崖往前延伸，逐渐集拢，形成一个巨大的黑色峡谷，峡谷的尽头，是一个森然漆黑的洞穴。

这就是每一代侵蚀者诞生的地方——【凝腥洞穴】。

特蕾娅仅仅只是回忆了一下这个洞穴深处那种种骇人惊悚的恐怖场景，她就忍不住胃里一阵翻涌。

她和幽冥静静地矗立在雪地上，他们两个人已经在此等候了很久了。他们的肩膀上落满了积雪，看起来很久都没有移动过了。

“出来了么？”幽冥抬起手，用他纤细而有力的手指轻轻擦掉他眉毛上凝结起的冰晶。

“还没。目前还没有感应到任何的魂力迹象。”特蕾娅闭上眼睛，再次睁开之后，眸子里翻涌的白色风暴消失了，澄澈的眸子重新出现在她浓密的睫毛下面。

“一晃已经这么多年了……当初我们两个挣扎着从里面出来的时候，我们还是小孩吧？那个时候你有十岁么？”幽冥低声问特蕾娅，他的目光里沉淀着一种回忆的色泽。

“不太记得了。”特蕾娅明显心不在焉的样子。幽冥转过头，望着身边心神不宁的特蕾娅，说：“你还在琢磨？”

“嗯……”特蕾娅拨开被微风吹到脸上的几缕发丝，她也转过头，望着幽冥那张年轻而桀骜的脸，“你不觉得这一代侵蚀者诞生得太快了么？我们成为王爵才多久？一年？半年？这么短的时间，怎么可能就有新的一代侵蚀者已经‘诞生’了呢？要知道，我们上一代的侵蚀者和我们之间，可是隔了十几年啊。我们刚刚完成对上一代王爵的杀戮，淘汰了最弱的两个王爵，更新了亚斯蓝上王爵的魂术实力量级，这才短短一年的时间，难道新的侵蚀者这么快就要开始下一轮的‘淘汰’了？我难以相信……”

“其实可能中间并没有隔那么久，我们上一代到我们中间，也许是存在过别的侵蚀者的，甚至我们正在等待的这两个最新的侵蚀者，都不一定是我们的下一代，中间很可能有更多代的侵蚀者存在……”幽冥的目光看起来就像两个漆黑的深渊，没有人知道他在想什么。

“什么意思？”特蕾娅问。

“你觉得吉尔伽美什是侵蚀者么？”幽冥突然问道。

“……”特蕾娅沉默着，没有说话。过了半晌，她说：“你这样一说起来，我有点儿意识到了。”

“虽然我们俩都没有见过吉尔伽美什本人，但是，从白银祭司之前的话里，我们都可以知道，他身上的魂路和他的魂力级别，都不是漆拉能够比拟的。王爵只有两种产生的方式，一种是使徒承袭，一种是侵蚀取代。所以说，从这可以推断，吉尔伽美什必定是属于后者，那么也就是说，他一定是侵蚀者，只是不知道他是诞生在我们之前，还是我们之后……”

“为什么白银祭司突然加快了制造侵蚀者的速度？”特蕾娅脸色渐渐苍白起来，她脑子里闪过很多零星的碎片，但是始终拼不出一张完整的画面，她隐隐觉得黑暗里一个巨大而恐怖的秘密正在缓慢地觉醒，随时都有可能冲破地表，吞噬毁灭掉整个天地。但是她现在却无法抓到头绪，她只能回过头，脸色苍白地望着幽冥。

“这个就不清楚了。只是按照吉尔伽美什出现的时间来推算，他很有可能是在我们之前就已经从凝腥洞穴里出来了。只是我们从秘密存在，到变成公然露面取代王爵的时间和他几乎同时而已。因为我们那一代侵蚀者，最后活着走出凝腥洞穴的，就只有我们两个而已，如果吉尔伽美什是我们那一代的侵蚀者，我们两个不可能不知道。而且，白银祭司也说过，我们来迎接的，是我们下一代的侵蚀者。所以，吉尔伽美什应该是在我们之前，就秘密存在了的一代侵蚀者，而且，”幽冥的脸色也变得和这片雪原一样煞白，“他很可能是那一代唯一的一个侵蚀者，白银祭司出于某种原因，隐藏了他这一代侵蚀者存在过的痕迹，白银祭司让他和我们两个同时公开出现在亚斯蓝领域上，造成了他和我们是同一代侵蚀者的假象。但实际上，他和我们两个出现的时间太过接近，理论上来说，都不够一群侵蚀者互相残杀直到最后决出剩下存活的他一个……”

“你的意思是？”特蕾娅的瞳孔因为恐惧而轻微地颤抖着，因为她心里隐隐觉得，那个仿佛怪兽般的秘密，已经在黑暗里，现出了一圈森然发亮的轮廓来。

“我只是猜测……”幽冥停顿了很久，仿佛他自己也感觉接下来说出的话，太过骇人且难以置信，“吉尔伽美什那一代，从头到尾，就只有他‘唯一一个’侵蚀者而已。”

“……你是说……”特蕾娅没有意识到，她的指甲已经因为她用力握紧的拳头而嵌进她的手心里去了。

“我是说，吉尔伽美什也许和我们完全不一样，我们每一代侵蚀者，需要在这个凝腥洞穴里，从婴儿时期就开始，和几百个侵蚀者胚胎互相残杀，最后存活着的少数几个人，才能离开洞穴，成为那一代存活下来的侵蚀者。但吉尔伽美什……我感觉他甚至不是诞生在这个洞穴里的，我想，他很可能是在另外一个我们不知道的地方，秘密诞生的……”

特蕾娅咬了咬她苍白的嘴唇，说：“……或者说，不知道你有没有和我一样的感觉……这种感觉怎么说呢，我总觉得，与其说吉尔伽美什是诞生，不如说他是被制造，或者培植出来的……白银祭司制造侵蚀者，虽然说是为了维持亚斯蓝领域上七个王爵始终处于魂力的巅峰，但是，我却隐约觉得，白银祭司其实是想要制造出一种终极的……终极的……我不知道该怎么说，但我觉得他们三个，应该是在期待着制造出一种东西。我们所有的侵蚀者，都是这种东西制作出来之前的失败试验品……"

幽冥点点头，他的眉毛深锁着，双眼一片狭长的阴影。

特蕾娅嘴唇不由自主地哆嗦着，"你觉得……会是为了制造……吉尔伽美什么？"

幽冥摇摇头，"应该不会。如果吉尔伽美什就是白银祭司想要制造出来的'最终形态'的话，那么我们就不用来迎接新的侵蚀者了。"

"我突然想到……"特蕾娅惊恐地转过头，她突然伸出手抓住幽冥的胳膊，仿佛一个受到惊吓的幼龄少女，幽冥被她脸上那种仿佛看见最恐怖的鬼魅般的表情吓到了，因为他深深了解特蕾娅是一个多么可怕的女人，从她当初和自己并肩作战一路踩踏着成堆的尸体走出洞穴开始，她的人生里就没有过恐惧，就算是在当年对付漆拉的时候，因为控制不了黑暗状态而差点儿失控时，她也没有恐惧过，而现在……

"我突然想到，我们之所以需要来接这两个最新的侵蚀者，是因为白银祭司告诉我们的，这一代的侵蚀者，在走出洞穴之前的最后一刻，就被抹去了之前所有的记忆，那么，也就是说，白银祭司希望凝腥洞穴在我们这一代之后，就成为秘密。不再有人知道这个洞穴的位置，和它里面蕴藏的恐怖能量，以及它存在的意义……"

幽冥似乎也意识到了特蕾娅心里的恐惧。

"那么，我们两个作为最后一代知道这个洞穴的存在的侵蚀者，如果白银祭司真的想让这个秘密从亚斯蓝的领域上消失，彻底地把这个秘密隐藏起来，那么最简单的方法……"特蕾娅抓着幽冥的胳膊，指甲刺进他结实的手臂肌肉，流下细小的一丝血。

"就是，除掉我们两个。"幽冥一字一句地，说了出来。

"我们不是来迎接新一代侵蚀者的……"特蕾娅眼眶里积满了因为恐惧而无法自控的眼泪，"是新一代的侵蚀者，在这里等待着我们两个……"

"这里，就是最新的一次，淘汰的杀戮场……"幽冥紧紧抿着嘴唇，他的脸上写满了绝望的愤怒。

巨大的雪原上，他们两个人面对面站立着。

曾经，他们是这个雪原上的幸运儿，他们双手沾满了滚烫的鲜血，高高在上地践踏着无数的尸骸，走向最耀眼的王座。那个时候，他们稚气未脱，眉宇里却蕴藏着死神的锋芒。

而现在，他们面如死灰地彼此扶持着，站立在冰冷无情的大地荒原。等待着，被洞穴里即将走出来的两个怪物猎杀。

突然间，空气里一阵几乎微不可测的波动，幽冥还没有来得及聚焦，就突然看见面前的特蕾娅双眼一白，“第一个，来了！”，她刚刚惊呼一声，周身的黑色紧身袍子，就突然幻化成白色的纱裙，无数纯白色的丝绸缎带迎风爆炸飞扬，呼呼卷动。特蕾娅扬起手，突然一阵狂潮般翻涌的魂力，将幽冥重重地推开，幽冥只来得及看见面前一条橙色的影子闪电般一晃，自己胸膛上就突然划开了三道浅浅的血口，如果刚刚不是特蕾娅推开自己……

幽冥朝后倒跃而出，高高地飘起，然后仿佛一只猎豹般坠落在一块岩石后面。他抬起头，只来得及看见橙色的闪电追逐着白色绸带的特蕾娅而去。

幽冥刚想要追上去帮特蕾娅，还没有来得及展动身形，就突然感应到了身后一阵极其扭曲的魂力——那种感觉，仿佛一只沾满黏液的滑腻冰冷黑手，沿着你的食道一直摸进你的胃里，那种森然的、诡异的、恶心的恐怖感觉，完全不像是来自正常的王爵或者魂术师，幽冥弯腰吐出一口酸楚的胃液，转过头，他看见了朝他缓慢走过来的一个少女：破破烂烂的裙子被撕扯得几乎衣不蔽体，已经沐浴满了血浆，血浆已经发黑了，她的脸上、头发上，挂着零星散落的肉屑，和一些内脏碎块，整个身体散发着剧烈的恶臭，然而，她的表情却是茫然的、呆滞的，她走路的姿势有一种说不出来的扭曲感，后背弓起来，双手垂在膝盖前方，双脚极其诡异地缓慢挪动着。幽冥看过更可怕的魂兽，更匪夷所思的血腥场面，这对他来说，应该是再正常不过的场景了。但是，为什么，这股紧紧贴着胃壁的冰冷的恐惧感却如此巨大，如此扭曲，仿佛有一双冰冷的鬼手在撕裂自己的头皮。

那个女孩缓慢地走过来，停在了离幽冥几米远的地方。她茫然地看了看幽冥，然后开始转过身环顾四周——这个时候，幽冥终于明白了那种无法形容的扭曲恐惧来自什么地方。

那个女孩的背后，背着一个和她一模一样的少女，两个人的背脊骨的地方，连成一片，她们仿佛共用着同一根脊椎，两个人后背血肉相连的地方，皮肤下面此刻正汩汩涌动着什么，仿佛一个怪物，孕育在她们两个中间，时刻准备撕破这两幅皮囊，汹涌而出。

之前一直在背后的那个女孩，随着转身的动作，渐渐地朝向了幽冥，她抬起手，伸进自己的喉咙，抠出一块猩红而模糊的带肉软骨一样的东西，轻轻地扔在了雪地上，滚烫的血肉在雪地上发出刺刺的声响。

“我饿了。”那个女孩目光空洞地，从喉咙里模糊地喊出三个字。

第十七章

因

那道橙色的闪电
始终紧紧地追在自己的身后，
仿佛死神挥舞着镰刀，
不停地在耳边擦过，
风声像要把喉咙随时割破。

【六年前】

【西之亚斯蓝帝国 · 极北之地 · 凝腥洞穴】

那道橙色的闪电始终紧紧地追在自己的身后，仿佛死神挥舞着镰刀，不停地在耳边擦过，风声像要把喉咙随时割破。

特蕾娅全速向前，在雪地上飞驰着，风卷动着她猎猎作响的女神的裙摆，如同雪域上一朵翻涌的莲花。特蕾娅不敢有丝毫的停滞，身后那个仿佛鬼魅般迅捷的身影，速度实在快得让人惊讶，特蕾娅这么多年，在亚斯蓝的领域上，从来没有见过拥有如此骇人速度的魂术师。就算是漆拉，如果不发动天赋的话，他也绝对无法达到这个速度。

但这并不是最让人恐惧的。

真正让人恐惧的，是身后这个看不清楚样子、只能看清楚一团模糊闪动的橙色光影的人，他的天赋还隐藏在未知的浓雾里。他现在如此汹涌的魂力和如此巅峰的速度，仅仅只是他的正常战斗状态而已。

而且自始至终，追杀自己的人，都没有使用过任何的水元素魂术，或者发动魂兽攻击，他的追杀简单而又奏效，直接而又锋利——特蕾娅终于明白为什么白银祭司会让这样一个怪物来等待着自己。因为对这样直接得近乎于拼命状态的肉搏猎杀，那件让她引以为傲、纵横亚斯蓝的上古魂器，能够抵挡一切间接攻击的盾牌——女神的裙摆此刻毫无用武之地，完全沦为一件好看有余、功用不足的曼妙纱裙，随时准备着被对方雷霆万钧的魂力撕个粉碎。

然而，特蕾娅清楚地知道，自己这样无休止地逃下去，迟早会被对方追上。因为，要维持着不被对方追上的速度，需要消耗的魂力实在是太大，这样下去，迟早支持不了，魂力一旦断档无法接续，那身后那疯狂的尖锐魂力只需要几秒钟就能割断自己的喉咙。其实现在，特蕾娅已经感觉到自己的魂力正在飞速下降了，但是身后那个怪物，特蕾娅敏锐地感知到，他的魂力依然和刚刚从洞穴闪出时一样汹涌澎湃，仿佛一直都处在战斗最巅峰的状态……但是这怎么可能？

特蕾娅闭上眼睛，透过她不断颤抖起伏的眼睑，可知她的瞳孔里此刻肯定翻涌着漫天暴雪，她将对魂力的感知释放到了极限，然而，能感应到的，依然是身后狂乱繁杂、毫无章法的魂力，就像在肆虐的暴风里想要辨认出风的流动一样困难。她牙关一咬，突然硬生生刹住身形，然后猛地回过头来——

“吱呀——”

宁静的雪域上空，突然尖锐地划过几声昆虫的尖叫，那个橙色的闪电身影瞬间停住，然后飞速地后退，然而，已经来不及了。刚刚还依然美艳动人、纤细而又凹凸有致的女人身体，此刻突然像一个被无数刺刀扎破了的皮囊一般，无数锋利的触角，从特蕾娅的身体里一边尖叫一边刷刷地穿刺出来，看起来就像是无数巨大螳螂的刀锋前臂，迎风暴长，变成朝前激射的无数利刃，特蕾娅那张脸上，十几把匕首般锋利的短触角如同花瓣般刺破她的容颜，空气里“吱呀”杂乱的尖叫声不绝于耳。

“噗。”

“噗噗。”

一连串钝重的血肉模糊的声音。

空旷的雪原上，光线剧烈得让人失明，一切都似乎静止不动，大雪吞噬了所有的声音，耳孔里只剩下静谧。辽阔苍茫的雪地上，两个黑漆漆的剪影，一个看得出是肌肉健硕的高大男子，另一个依稀能分辨出女人的轮廓，但是，却从那个轮廓里，不断穿刺出一根一根刀刃，持续地插进对面那个男子的身体里。

特蕾娅那张已经被无数刀刃刺破了的脸上，唯一完整残留着的那双娇艳欲滴的嘴唇，此刻轻轻地往上扬起，她当然有理由得意，她如今对黑暗状态的驾驭，早就不是当年那个小女孩时的生疏了。

然而，她的笑容仅仅只在她那张恐怖的脸上绽放了一小会儿，就凝固成了一个僵硬的弧度。她眼睁睁看着对面身体上插满了刀刃的男子，仿佛完全不曾受伤、毫无痛觉般地朝自己挺近过来，一步一步地顶着刀刃用力逼近，刀刃穿透他的胸膛、肩膀、大腿，从他后背洞穿而出，刀刃摩擦骨头的咯咯声让人毛骨悚然。

那个男子伸出他那只修长而又有力的手，特蕾娅只觉得眼前一花，右胸膛就传来一阵撕裂的剧痛，那男子的手仿佛一扇薄薄的刀片一样，电光一闪之间，就轻易地插进了自己的胸口，特蕾娅喉咙里瞬间涌起腥甜的鲜血，她能清晰感觉到对面的这个男子的手指，在自己身体里游刃有余地穿梭探寻着，终于，这双手抓紧了自己的锁骨，然后用力地一扯。

白茫茫的天地间，一片喷洒而出的血光。

幽冥直勾勾地看着面前这个森然的小女孩，不，应该说是两个森然的小女孩。

她们俩在说完那句“我饿了”之后，就再也没有动作了，其中一个，此刻正在和幽冥对视，她那双大大的眼睛里，瞳孔混浊而又迷茫，没有任何焦距的视线如同一张黏稠的网一样笼罩着幽冥。

幽冥心底那股恶心而阴湿的恐怖感越来越强烈，但是他却控制不了自己不去看她们，他完全无法挪开自己的视线，仿佛面对着一个黑洞，被吸得无法动弹。他抬起手，一枚冰雪凝固而成的匕首从雪地里爆射而出，幽冥手腕朝外一翻，冰刃朝小女孩激射而去，然而，那个小女孩完全没有躲闪，甚至连眼珠都没有动一下，“咔嚓”一声，冰刃插进了她双眼中间的鼻梁里，寂静的雪地上，轻微几声“咔嚓”的骨头碎裂的声响。

小女孩站着没有动，一会儿，冰刃就被她的鲜血融化了。她的双眼中间，鼻梁骨已经碎裂，只剩下一个血肉模糊的黑漆漆的洞。

幽冥忍不住弯下腰，喉咙里发出干呕的声音。那种阴冷的恐惧感从胃里汹涌而出。

“咯——咯咯——”

一阵骨头关节扭动的声音。

幽冥抬起头，刚刚一动不动，看起来仿佛已经死去的小女孩，此刻开始僵硬地扭动着身体，她的目光依然混浊，那个血洞依然骇人，几乎快要让她的两只眼睛连在一起。她慢慢地转动着，把她另外一个身体，转过来，面对着幽冥，一张和刚刚那个小女孩一模一样的完好无损的脸，此刻再一次幽幽地正对幽冥，将那混浊黏稠的目光，洒向他。

幽冥瞳孔一紧，右手臂上金黄色的刻纹瞬间浮现起来，他伸出手臂在空中一劈，小女孩脚下的雪地上，噌噌噌蹿起无数尖锐的冰柱，仿佛疯狂生长的竹笋一样，拔地而起。

小女孩喉咙里发出痛苦的尖叫声，又细又尖的声音像一道光一样劈开了雪原的静谧，然而瞬间之后，一切又重新陷入死寂。

雪地耀眼的白光下，几根细长的冰柱已经从小女孩的大腿处，由下而上、斜斜地穿透了她的身体，有两根从她的胸膛上穿刺了出来，有一根从她的脖子上刺了出来，还有一根从她的右脸颊上刺了出来，她整个人往后仰躺着，血汩汩地从她身体里往外涌。

幽冥心里的恐惧越来越重。白银祭司的命令是将最新的侵蚀者带回格兰尔特，虽然他不知道眼前这个东西究竟算是人还是算怪物，但是，他依然不敢贸然地杀死她。

他只能忍住胃里的恶心感，眼睁睁地看着那些冰柱融化之后，那种“咯咯——”的骨头扭动的声音再一次响起来。刚刚已经被刺得千疮百孔的小女孩，再一次把另一个身体，转向了前面。

幽冥的瞳孔一瞬间缩紧了，刚刚那个停留在她双眼间的血洞，已经消失不见了，小女孩的脸完好如初。她依然用那双混浊不堪的瞳孔，凝视着幽冥，幽幽的阴冷目光，像最冷的钢丝一样，瞬间捆绑住了幽冥。

幽冥的手不由自主地颤抖起来，他自己都没有意识到。

刚刚那用力的拉扯，瞬间将特蕾娅抛出去十几米的距离。她纤细的身体仿佛被吹断的风筝一样，从天空坠落，血浆喷洒而出，溅在雪地上凝固成灿烂的红色冰花。她重重地摔在一块露出雪地的黑色岩石上，她双眼一花，视线瞬间黑暗，全身的骨骼都仿佛碎裂开来，海潮一样的剧痛吞噬了她的视线和听觉，她身体上那些锋利的刀刃，哗啦啦如同被火烧到的蜘蛛触角，迅速缩回了她血淋淋的身体里。她肩膀上此刻是一个巨大的血洞，连同她的锁骨和黏在上面的筋肉，统统被那双有力的手撕扯了下来。她想向幽冥呼救，然而，她喉咙里此刻充满了血浆，她只能模糊地发出“咕噜咕噜”的声响。

特蕾娅模糊的视线里，那个橙色的身影再一次仿佛闪电般地冲向了自己。那个模糊的影子冲自己举起了那双仿佛刀刃般锋利的手，然而，却迟迟没有劈下来。

雪地上，除了风声，就只剩下粗重的喘息声。

特蕾娅的视觉渐渐恢复，她看见站在自己面前的，是一个几乎全身赤裸的年轻男子，红色的头发，仿佛火焰般竖立在头顶，他的眉眼温顺而澄亮，暗红色的瞳孔仿佛宝石般温润，他的眉毛浓密柔软，像是雪狐的毛，他的鼻梁挺拔高耸，嘴唇饱满，微微地张开着，显得无辜而又单纯。

但是，特蕾娅能从他眼里清晰地看出翻涌不息的欲望，那种最原始，也最炽烈的欲望——男女之间最浓烈的性欲。

特蕾娅双眼瞬间一片雪白，暴风雪顷刻间在她小小的瞳孔里翻涌成无尽的天地，她明显地感觉到了面前这个男人身体里的魂力正在失控般地错乱流动，她闭上眼睛，快速地感知着他的魂力流动，“就是这里！”她抬起手，用自己最后的力量，摸到了他赤裸的左侧小腹——那是她刚刚探知到的，他的魂印所在的位置。她五根手指末端，迅速地释放出尖锐的魂力，仿佛游蹿的毒蛇一般，那个男子只来得及感觉到几股刺进魂印的冰冷，然后就重重地倒下来，摔在黑色的岩石上。

特蕾娅的魂力也接近虚脱，她终于松了口气，仿佛在死亡的边缘游走了一番似的，她闭上眼睛，任由身体虚脱，但是她清楚，她会缓慢地恢复。

不知道过了多久，当特蕾娅再次睁开眼睛的时候，天地间的光线似乎已经稍微转弱一点儿了。她将魂力在身体里游走了一圈，除了肩膀上那个重创还未完全恢复之外，其余的部分，已经差不多痊愈了。

她站起身来，仔细打量着面前躺在岩石上一动不动的那个红发男子。他小腹上魂印的位置，依然凝固着坚冰，那是特蕾娅在最后一刻将他的魂力全部封住的结果。但是，他却并没有沉睡。他的双眼睁开着，此刻，正一动不动地凝望着特蕾娅。他的目光里没有杀戮，没有凶光，只有无限的温顺和纯净，仿佛最透彻的琥珀般，让人挪不开目光。特蕾娅在他身边蹲下来，他全身只有腰部和最私密的位置有一圈仿佛白银打造成的防护铠甲，身体其余部分都是赤裸着，全身都布满了神秘的刺青，甚至脸颊上都有少许。他的身躯高大，肌肉发达，看起来仿佛是一具包裹着闪电的肉体一样，充满着力量。

“我是来带你回家的，我不会伤害你，明白了么？”特蕾娅看着面前年轻男子的面容，一字一句地说着，一边说，一边将手指放到了他的小腹魂印的位置，“我现在把你魂印上的冰封解开，但是，你如果再动手，我就立刻杀了你。你听明白了么？”

他没有点头，也没有摇头，他睁着那双鹿般的眼睛，一动不动地深深地望着特蕾娅。

特蕾娅手指上流动出几缕魂力，他魂印上的冰冻缓慢地融化开来，但是，特蕾娅并没有挪开自己的手指，她时刻感应着他体内魂力的变化，一旦他再次对自己动手，她就会毫不留情地摧毁他的魂印。

他的身体渐渐地开始可以活动起来，特蕾娅正看着他那双琥珀般迷人的眼睛出神，突然他身躯一闪，特蕾娅心里陡然一惊，手上刚刚想要释放魂力摧毁他的魂印时，却发现，这个年轻的男子，紧紧地抱住了自己，然后就一动不动地安静了下来。他炽热的呼吸喷薄在自己的耳边，带来一种强烈的荷尔蒙的诱惑力。他的身体炽热而滚烫，就算是在这样冰天雪地的环境里，也依然仿佛燃烧着无穷的能量。特蕾娅不自觉地抬起手，轻轻地抚摸着他的后背，因为她能感应到，他的身体里，那些魂力都平缓而安静地流动着，仿佛春日里潺潺的溪涧。不再是汹涌的情欲，不再是无法控制的翻涌，而是一种温柔的靠近。

过了一会儿，他放开她，双眼深深地看着特蕾娅，他喉咙里沙哑地发出几个模糊的音节，特蕾娅听不明白。

他脸上微微出现着急的神色，让他那英俊的面容显得让人心疼，他急切地伸出手指了指自己，然后再一次试图让自己的声音清晰，特蕾娅尽力地分辨着他喉咙里沙哑低沉的那两个音节，“霓……霓虹？”

他立刻高兴得直点头，然后反复指着他那张喜悦的脸。

“你的名字？”特蕾娅忍不住轻轻地笑了。

霓虹用力地点了几下头，站起来手臂挥舞了几下，他脸上是无法压抑的喜悦，像一个刚刚拿到新玩具的孩子一样，尽管他的身躯已经成熟高大，完全是一个年轻的男子了。

特蕾娅望着他，“你是不是不会说话？”

霓虹停下来，他的面容沉了下去，目光里有一层浅浅的悲伤，他点点头。然后走过来，在特蕾娅身边坐下来，他长长的腿不知道如何放置，显得有点儿局促，特蕾娅抬起手，抚摸着他的头发，心里涌起一种怜悯。她自己都难以相信，竟然会对这个刚刚还想要杀死自己的人，产生这样的情绪。

突然，一阵阴冷而森然的感觉从背后渗来，仿佛一只冰冷滑腻的手抚摸着自己的食道，那种让人想呕吐的恐惧感。

特蕾娅和霓虹猛然回过头，远处，茫茫的天地间没有任何的异动。

特蕾娅双眼白色翻涌，她的神色凝重起来，她站起来，冲着霓虹说：“跟我走，幽冥遇到大麻烦了。”

特蕾娅和霓虹两个人，在雪地上风驰电掣地往幽冥的方向掠去。特蕾娅的一双眼睛只剩下翻涌的白色，她一边感应着前方魂力的变化，一边暗自为身边的霓虹而吃惊。因为这样高速地前进，自己的魂力一直在消耗，速度尽管没有太大的降低，但是，身体的状态已经出现了力竭感，呼吸也越来越急促，但是，身边的霓虹，却仿佛一波纹丝不动的池水一般，他的气息依然稳如最初，甚至连速度都没有任何的变化，他的整个身体似乎一直维持在最巅峰的状态——这简直太令人不可思议了。

但是，特蕾娅来不及多想，一股汪洋般的巨大恶心感，让她双耳嗡地一鸣，她跌坐在雪地上，弯下腰呕吐出一摊褐色的液体。

特蕾娅抬起头，擦干净嘴边的污秽，面前是霓虹的背影，他正挡在自己的前面，保护着自己，他双腿半蹲着，浑身的肌肉紧绷，魂力在四肢不断积蓄酝酿着，他的后背弯曲起来，仿佛一个面对着致命危险的野兽，时刻准备着反击。竟然会有东西让霓虹这样几乎没有恐惧可言的人如此严阵以待，特蕾娅移动了一下身体，目光从霓虹身边越过，她想看清楚前面这股让人无法抵抗的恐怖魂力，到底来自什么东西，然而，她的目光就再也无法移开了。

前面十米远的地方，幽冥跪在地上，他全身止不住地颤抖着，他已经失去了控制，他的双手不断地挥舞着，喉咙里不停发出怒吼，他仿佛已经神志不清了，他每一次挥舞手臂，无数的冰刃就从空气里破空激射而去，不断地刺向前方的那一团……不知道应该如何形容，雪地里是一团巨大的肉块，血浆源源不断地从那一大堆血肉里涌出来，肉块上纠缠着密密麻麻的头发，一缕一缕的头发和肉屑血浆缠绕在一起……四处翻开的伤口，暴露的白骨，仔细看能分辨出手脚，然而却有四只手四只脚，从不同的方向诡异而又畸形地从肉块里扭曲地伸展出来，并且不停地挣扎着，随着这种让人毛骨悚然的挣扎，这团巨大的肉块不断发出惨绝人寰的尖叫声来，那声音锐利得如同匕首一般撕破人的头皮，阴冷得如同来自万丈深渊的地底，空气里还有不断激射而出的冰刃，密密麻麻地持续扎进那团肉块里，肉块发出的尖叫越来越大……

“不要再进攻它了……”特蕾娅冲幽冥绝望地大喊，“没有用的！”因为，她明显感觉到，所有的进攻都没有对那团恐怖的东西造成伤害，那团巨大的肉块里面，正涌动起越来越剧烈的魂力，就连特蕾娅，都无法感应到这股魂力的上限……或者说，正因为魂力不停地上涨着，也就没有所谓的上限了。

“你去制止幽冥，带他离开！”特蕾娅转身对霓虹说着。霓虹点点头，毫不犹豫地身影一闪，他朝幽冥冲过去，无数的冰刃瞬间激射进他的身体，他眉头都没有皱一下，冲过去抓住幽冥的双手，然后把他扛起来，翻到自己的后背上，迅速朝远方飞掠而去。

特蕾娅站起来，全身白色气浪翻涌，无数雪白的丝绸飞扬激射，如同卷动的云丝，一缕一缕飞快地朝那堆畸形的肉团包裹而去，女神的裙摆呼啸着裹紧那个不停蠕动尖叫的东西，特蕾娅双手一紧，翻涌的魂力从丝绸上传递过去，瞬间，那团巨大的血肉就静止了下来，接着，万籁俱寂里，一阵“哗啦啦——”的冰块凝结的声音，那团“怪物”慢慢地变成了一个巨大的冰块。那团血肉模糊的东西，凝固在了巨大的冰晶里，仿佛一个凝固在琥珀里的尸体。

一小缕头发留在冰块的外面，上面染满了腥臭的血浆，湿答答地垂在冰块上。

特蕾娅压抑着心里的恐惧。

无论如何，先把霓虹和“这个玩意儿”带回格兰尔特再说吧。

她突然感觉无比地疲惫，也许是因为刚刚经历了两场匪夷所思的战斗，又或许，是最新的这两个侵蚀者，带给她的震撼实在是太大了，她突然绝望地想到，自己和幽冥，与眼前这团阴冷而恐怖的东西，来自同一个地方，属于同一种生物，这难道不是最最绝望的事情么？

她转过头，远处，幽冥跪在地上，他的头发披散着垂在面前，挡住了他的脸。他一动不动，显然，他的理智已经被击垮了。在特蕾娅的记忆里，幽冥从来都是冷酷的，不羁的笑容永远浅浅地浮在他的嘴角，从来都只有他摧毁别人的理智，摧毁别人的生命。而他永远扮演高高在上的冰冷的死神。

霓虹站在他的身边，刚刚插进他身体的几把冰刃，正被他身体的热度融化着，混合着血液，变成浅浅的红色液体，沿着他的身体淌下来。他的脸上没有痛苦，没有害怕，只有仿佛最纯洁的天使才会拥有的干净笑容，浅浅地在他脸上绽开来，他的目光温柔而又坚定，深深地望着特蕾娅。

【六年前】

【西之亚斯蓝帝国·格兰尔特·心脏】

格兰尔特的地下宫殿里，此刻，三个房间里，分别站着不同的人。

三个房间里的墙壁，缓缓地变幻成剔透的水晶。白银祭司清晰地出现在水晶之墙里。

第一个房间，吉尔伽美什带着他刚刚组建完整的天、地、海三使徒，第一个离开了这个神秘莫测的地底。

第二个房间，特蕾娅带着霓虹，也在之后，离开房间。她穿越冗长的走廊，一步一步朝着上方走去的时候，她仔细打量着身边的刚刚成为自己使徒的霓虹，脑海里一直翻涌着刚刚白银祭司对自己说的话。他告诉自己，身边这个看起来仿佛天使般纯净的年轻男子，他拥有与生俱来的【无感】天赋，对痛觉无感，对恐惧无感，对疲惫无感，对死亡无感……他时刻保持着最巅峰的战斗状态，他就如同一具生来只为斩杀一切的完美机器。特蕾娅看着他的脸，不知道为什么，她竟然在心里感到一种悲哀，不知道是为他，还是为自己。

而第三个房间里，幽冥安静地等待着。

房间里空荡荡的，和当初出发前的那个房间一模一样，只是尽头正对的那面墙壁，此刻依然还只是褐色的石壁，没有幻化成剔透的幽蓝色水晶。

幽冥的面前，是一团巨大的冰块，透过冰块可以看见里面凝固着的一团模糊的骨肉。即便是此刻，幽冥回想起来，依然能够清晰地感受到胃里那种阴冷的恶心感。

要不是特蕾娅及时赶来，也许自己的大脑已经在那片雪域上支离破碎了。他甚至觉得那两个阴森的小女孩，对人的精神领域有一种污染的能力，能够让人的理智被那种阴冷的恐怖给撕碎。

随着空气里“嗡——”的一阵弦音，对面的那堵石壁，再次幻化成了剔透的水晶。那位女性白银祭司的身影，出现在水晶的深处。她的面容依然仿佛冰雕玉琢般的精致，她的双唇依然紧闭着，但是空气里却听得到她清晰的声音。

“幽冥，你带回来的侵蚀者，是一个特例。她们本来是一对双胞胎，但是在子宫内发育的时候，却因为某种原因而发育不良，两个人虽然拥有独自的身体和外形，然而，她们却肉体相连，如果仅仅是单纯的肉体相连，那么完全可以将她们分开，以她们作为侵蚀者出类拔萃的魂力来说，愈合不成问题。然而，可惜的是，她们的体内，仅仅只有一根脊柱，她们共享一根脊柱，而且她们同享一个魂印，魂印的位置，在脊柱的最顶端，脖子背后的位置。所以，两个里面，只有一个可以存活。因为，一个魂印只能匹配一种魂路，但是她们两个人，却具有不同的灵魂回路，这也产生了两种截然不同的天赋，两种魂路共存的时间不可能太长，魂印最终会选择一种回路。但现在我们必须要选择了，因为此刻她们两个的肉体已经在你不断的攻击之下，支离破碎地纠缠在了一起，开始互相渗透了，也就是说，彼此的魂路正在企图吞噬对方的魂路，最终的结果就是两败俱伤，魂印破碎的同时肉体也被摧毁。”

“她们两个的天赋是什么？”

“其中一个的天赋，是【精神浸染】，她体内能发出一种无法听见的声音，将人的脑海里的平衡感和理智都打破，能让人感受到她营造出的极大的恐怖和恶心感，最终将人引导至精神错乱，失去理智，最终暴乱发狂。而另外一个，则拥有将自身受到的伤害，转化为魂力的天赋，她能通过不断受到的来自敌人的攻击伤害，而不断完善自身的灵魂回路，从而让自己的魂力不断攀升，而且，攻击她的敌人越厉害，她所取得的飞跃就越大。只要她不被当场击毙，那么当她恢复之后，她的魂力都会比之前深厚。”

幽冥望着面前的那团巨大的冰块，脑海里乱成一片。

“决定好了，就开始吧。”

房间里突然爆出一圈蓝光，空气仿佛被看不见的波浪冲击着摩擦起来，迅速升温。冰块迅速地融化开来，一摊血水在地面上迅速积成一片水洼。

那块融化开来的肉团，此刻又开始重新蠕动起来。幽冥的胃里，又重新开始激荡起那种恶心阴冷的扭曲感，骨骼扭动的咯咯声，女孩尖锐的惨叫声，冰块碎裂的咔嚓声，无数种声音拥挤进幽冥的耳孔。两团肉块重新分离成两个少女的模样，彼此背靠背地尖叫着，仿佛正在承受着酷刑。

他抬起手，迅速地朝前面一挥。

一声巨大的惨叫，两个女孩从中间撕裂开来，其中一个明显比另外一个的后背要厚一些——她保留下了肉体里那根唯一的脊柱，而另外一个……她侧躺在冰冷的地面上，后背一个巨大的血肉坑洞，仿佛被怪兽一口咬掉了整个后背，她腹腔内的肠子汩汩地流出来，仿佛一团拥挤而巨大的白花花的蛔虫，她的脸白得像纸，嘴角不断涌出血沫，她抽搐着，然后渐渐一动不动了。

而另外一个女孩，她后背连着的那根脊椎骨，仿佛一条活动的骨蛇一样，哗啦啦地蹿进了她的身体，她后背的那些血肉纷纷愈合，仿佛一朵合拢的花朵。

幽冥的额头全是细密的冷汗。

白银祭司的声音回荡在空气里，“果然，你选择了和自己一样，理论上来说，魂力没有上限的人作为自己的使徒，无论是你的靠摧毁魂印来吸纳对方魂力的天赋，还是她的将攻击伤害转化为自己魂力的天赋，都异曲同工。”

幽冥没有说话，但是他心里明白，自己选择了现在活下来的这个女孩，并不是刚刚白银祭司说的理由，真实的理由，是因为他实在无法抵抗那个死去的侵蚀者所具有的天赋——那种最最绝望的，仿佛来自地狱深渊的阴冷，那种最最扭曲的恶心感，那种对精神领域的致命污染。他再也不想尝试那种能把人的头皮撕裂的感觉了。

“这个女孩，年纪还小，你先带她，放到格兰尔特神氏家族寄养。你不用担心，我已经让白银使者将神氏家族的所有人的记忆都作了修改，他们会认为这个小女孩，本来就是他们家族最小的女儿。等到她成长成熟之后，你再告诉她，她真正的，侵蚀者的身份。她不会记得之前在凝腥洞穴里的任何事情。但是，有可能她会记得，刚刚你‘杀死’了她的姐姐。因为她们曾经共享过同一具肉体，甚至共享过生命。所以，我不太清楚，是否能将这一段，从她记忆里抹去。”

【四年前】
【西之亚斯蓝帝国 · 雾隐绿岛】

银尘从树上跳下来的时候，被突然出现在自己面前的格兰仕吓了一跳，手上端着的篮子里刚刚采集来的红瑚木浆果也撒了一地。

格兰仕抱着胳膊，一脸坏笑地站在旁边，看着狼狈的银尘，表情看起来非常满意自己的恶作剧。

“你几岁了？幼稚。”银尘看着一身黑袍，头发凌乱而不羁地束起来的格兰仕，冷冰冰地说。

“我和你一样大。我幼稚，你也幼稚。”格兰仕咧着嘴笑着，绕到银尘背后，伸出手扯了扯银尘扎起来的小辫子，“你长得已经够秀气了，还扎这么一个小辫子，有没有人说过你看上去就是个女孩啊？”

“没有‘人’说过，只有你说过。”银尘转过身，身形瞬间一动，闪到格兰仕背后。

“哟，骂人真是一套一套的啊，”格兰仕转过身来，摊了摊手，笑嘻嘻地，“我听出来了，你在骂我不是人。”

银尘不再答理他，转过身直接往回走。

格兰仕在他背后发出爽朗的笑声来。

三个使徒里面，银尘和他同岁，而且是几乎同一个时间成为使徒的，因此他们两个感情最好。他的性格和银尘的性格，几乎就是两个极端。格兰仕玩世不恭、风流不羁，而银尘则不苟言笑，整天顶着一张冰雪般的脸。所以，格兰仕没事儿最爱和银尘斗嘴，有时候也动手打打小架。而海之使徒东赫，比他们两个年纪都大，而且跟随吉尔伽美什的时间最久，所以，都以长兄的姿态自居，经常教训银尘和格兰仕。银尘每次都是虚心地低头垂手，听从教诲。但格兰仕总是心不在焉的，一张桀骜不驯的脸看起来充满了难以驯服的野性，他的英气和银尘的俊美，是截然不同的感觉。仿佛烈日的磅礴和皓月的静美。

格兰仕追上银尘，伸出手从银尘的篮子里拿了个红瑚木浆果，放到嘴边咬了一口，甜甜的汁水散发出来的浓郁果香，浸染到舌尖和牙齿，瞬间弥漫了整个口腔。红瑚木浆果是雾隐绿岛上的特产，亚斯蓝大陆上，只有这个群岛上才会有。

雾隐绿岛其实是整个雾隐湖上的群岛的总称。

整个雾隐湖的范围，都是吉尔伽美什的领地。他和他的三个使徒居住在这里，平时几乎不会有人来访。

雾隐湖位于亚斯蓝帝国的中心位置，地理位置上，处于南北两极的正中间，所以，这里一年四季的气候都温暖如春，整个湖上大大小小的岛屿星罗棋布，每个岛上都长满了茂密的参天大树，浓郁欲滴的绿色仿佛终年不散的雾气一样，湿漉漉地笼罩着分布在各个岛屿上的白色大理石宫殿。在湖心最大的那个岛上，有一座最大的行宫，那是亚斯蓝最高王爵吉尔伽美什的住所。

几年前，当这个仿佛天神一样的人出现在自己面前的时候，银尘还是一个从小被一个民间旅行马戏团收养的小孩，跟随着那个杂耍班子四处流浪、漂泊。而他们马戏团中的一个老者，会一些简单的魂术，他教会了银尘，而银尘身体里，仿佛与生俱来的对魂术感应的天赋，让他能够表演各种以水为道具的神奇的魔术。比如将水悬浮在空中，扭动成一条水龙，或者将一桶水全部激发到空中变成珍珠般大小的水珠，环绕着观众们飞舞。

直到那一天，吉尔伽美什出现在十七岁的银尘面前，对他说："跟我走。"在吉尔伽美什仿佛天神般高大挺拔的身躯背后，站着严肃的东赫，和正冲自己眯起一个眼睛坏笑的格兰仕。

回到雾隐绿岛的第一天，银尘刚刚换好吉尔伽美什给自己准备的衣服，就被和自己一样年纪的格兰仕调侃了。那个时候，年轻的格兰仕穿着一身漆黑的衣服，头发乌黑发亮，用布条凌乱地扎起来。他的眼神明亮而锋利，挺拔的鼻梁，眉毛浓密而狭长，年轻的脸上看起来充满着浑然天成的霸气和野性。他看了看一身白衣如雪的银尘，伸手轻轻地扯了扯银尘扎在后脑勺的细细的辫子，有点儿敌意地讥诮道："你是男孩女孩？"

而一转眼，三年的时间过去了。

他还是不厌其烦地问着："你是男孩还是女孩？"

然后自得其乐地哈哈大笑而去。

银尘端着那篮子刚刚采集好的浆果，走到小岛的边缘，他看了看对面湖中心最大的岛，绿树掩映下，白色大理石建造的宫殿反射着灿烂的阳光。院落的前庭，吉尔伽美什正坐在一把古老而精致的黑檀木椅子上，翻阅着他手里一卷古旧的羊皮卷轴。阳光照在他仿佛天神般金光灿烂的长发上，他的面容闪烁着一股天生帝王般的气息。从银尘第一眼见到吉尔伽美什起，他就一直觉得，吉尔伽美什身上有一种让人无法抗拒的美感，这种美来源于他凌驾众生的力量，来自于他媲美天神的容貌，或者说直接来自他迷人的灵魂。

银尘刚要展动身形，准备飞掠到对面的岛屿去。这个时候，格兰仕突然拍拍他的肩膀，银尘回过头去，看见格兰仕神秘地笑了笑，然后凑近他的耳边，说："让你看个厉害的。"说完，他突然闭上双眼，领口露出来的肌肤上，突然泛出一些金黄色的刻纹，然后他将右手往湖面一挥，一阵"咔嚓咔嚓"的声音突然从湖面响起，银尘转过头，看见从自己脚边的湖水上，突然凝结出了双臂伸展般宽度的一道坚冰，并且这道坚冰迅速地朝着湖对岸的岛屿哗啦啦地延展而去，仿佛一条不断伸展的白蛇。转眼的工夫，两个岛屿中间就出现了这样一座冰桥。

格兰仕得意地冲银尘眨眨眼，然后背着双手，迈着大步，一脸炫耀地往对岸走。走到一半，冰桥哗啦啦地碎裂开了，格兰仕脚下一空，扑通一声摔进湖里去了。

当格兰仕从湖里飞掠上岸来的时候，他看到银尘已经站在吉尔伽美什的旁边了。银尘把红瑚木浆果放在王爵的旁边，而此刻的吉尔伽美什正看着浑身湿淋淋的格兰仕，脸上露出恶作剧得逞之后的笑容，此刻的吉尔伽美什，和一个孩子没什么两样，他退去了身上那种无法接近的神祇光芒，显得俊朗而又温柔——也只有在他和自己的三个使徒相处的时候，他才会露出这样柔软的一面。而出现在其他人面前的吉尔伽美什，永远都放射着让人无法正视的光芒，带着摧毁一切的霸气和高傲。

银尘看着此刻王爵脸上纯真而开朗的笑容，忍不住也跟着露出了微笑。

“王爵，你这就偏心了，干吗整我啊？”格兰仕的头发上不断地滴水，他抬起手擦了把脸，懊恼地说，“你害我在银尘面前丢脸。”

吉尔伽美什在阳光下笑着，露出整齐洁白的牙齿，他薄薄的嘴唇带着红瑚木浆果的颜色，看起来就像是露水打湿的红色花瓣，“那也是你自己魂力不够，你应该直接把冰一直冻到湖底，这样才稳固，你只在表面弄出一层浮冰来，当然轻轻一碰就碎了啊。”

“我也想啊，不过这湖深不见底，我现在的魂力，怎么可能做得到啊。我首先得控制冰桥的长度，其次才考虑得了深度啊。”

“你算是说到点子上了，”银尘捧着银色的餐盘，把红瑚木浆果端在吉尔伽美什面前，冷峻的脸上带着讥诮的笑意，“你这人，最缺的就是深度。”

格兰仕闷头闷脑地哼了一声，说：“王爵，你不能太偏心，我欺负银尘的时候，你总是帮忙，他数落我的时候，你永远笑而不语，这手心手背都是肉，天地不分家啊！”格兰仕一边说着，一边把湿淋淋的衣服脱下来，阳光照在他结实而光滑的小麦色肌肤上，湿淋淋的厚实胸膛反射出一片炫目的光。他把衣服裤子都脱下来，拿在手上稍微使力，瞬间，衣服上所有的水都结成了冰，他拿着衣服用力地抖了几下，无数的冰碴哗啦啦地往下掉，瞬间衣服就干透了。

银尘看着站在草坪上赤条条的格兰仕，有点儿脸红，数落他道：“你能不能把衣服裤子先穿起来？猴子也知道在腰上围一圈树叶，你好歹在王爵面前放尊重些！”

“我怎么没见过围树叶的猴子？”格兰仕眉毛一挑，英俊的脸上露出一股不羁，“你骗谁呢？”还没说完，一阵从天而降的黑色光芒，从他身边呼啸着掠过，如同一阵旋转的黑色雾气，瞬间降落在草坪上，黑色的光芒消散之后，漆拉长袍蹁跹地站立着，如同一朵黑色的莲花。

“漆拉，你吓死我了，”格兰仕把挡住下半身的双手拿开，松了口气，“我还以为从天而降一个女的，我这儿衣服都没穿呢！”

漆拉：“……”

“不过话说回来，从第一次见你到现在，我也看了这么多年了，但是漆拉王爵啊，我真的还是总觉得你是个女的，你的脸长得也太漂亮了，和你比起来，银尘简直就是个整天在山里打猎的粗犷农夫！”格兰仕叉着腰，在灿烂的阳光下大剌剌地站着。但他的笑容迅速凝结在了脸上，因为他脚下湿润的草地上，突然蹿起无数破土而出的大块冰晶，哗啦啦一阵乱响，他腰部以下就已经被结实地冻住了。

而他面前的漆拉连手指都没动一下，只是幸灾乐祸地转眼看了他一下，就回过头来不再理他，任凭格兰仕嘴里嚷嚷着“你堂堂三度王爵竟然欺负一个使徒”。

自从银尘住到雾隐绿岛以来，几乎从来都没有人到访过——也从来都没有人有胆子闯进这片领域，除了漆拉。

曾经有一次，七度王爵费雷尔因为急着要传达白银祭司的一个命令，而没有提前让人通报，就急匆匆地闯了进来，那一次，在他刚刚踏进雾隐绿岛范围时，吉尔伽美什仅仅眯了一下眼睛，他全身的白银铠甲瞬间粉碎，他全身上下，顷刻间爆炸出一千道密密麻麻的伤口，每一个小伤口都深一寸，足以痛彻心扉，却又不伤筋动骨。可见吉尔伽美什对魂力使用的精准度已经到达了多么恐怖的境界。

当然，最开始进入雾隐绿岛的漆拉，是抱着打败吉尔伽美什的目的来的。然而每一次，吉尔伽美什都是悠然地躲避着他的每一次进攻。当时的银尘和格兰仕，只能躲在远处，看着两个当今亚斯蓝最顶尖的王爵的魂术斗法，那个时候，银尘和格兰仕心里都是无法掩饰的震撼。漆拉和吉尔伽美什有一个共同的地方，那就是他们对魂术的运用，仿佛都是在雕刻一件精致的艺术品，每一丝魂力的使用都完美无瑕、绝不浪费。漆拉不断释放出的各种阵法，让人眼花缭乱，整个辽阔的雾隐湖上，全部是各种各样旋转不断的阵，在这些阵法里的漆拉，身形闪动如同迅捷的闪电，他的速度甚至快到空气里充满了他的残影，仿佛有成千上万个漆拉在对吉尔伽美什发起进攻。

然而，无论漆拉使出多少个阵，无论他的速度有多么令人吃惊，魂力的使用有多么诡谲，然而吉尔伽美什的身影总是不快不慢但又总恰到好处地避开漆拉每一次的进攻。

银尘还记得最后一次漆拉的挑战，他将整个雾隐湖的湖水挑上了天空，千万吨的湖水幻化为了一条咆哮的冰龙，雷霆万钧地冲向吉尔伽美什。但是，当那条巨大的冰龙的头快要吞噬掉吉尔伽美什的瞬间，他面带微笑地轻轻伸出手，仿佛慢动作一般在冰龙的脸颊上抚摸了一下，然后轻轻往旁边一带，于是，一整条巨大的冰龙无声地回到干涸的湖里，温柔地重新化成绿幽幽的湖水。而在漆拉还没有反应过来的瞬间，吉尔伽美什已经站到了漆拉的背后，漆拉清晰地感觉到了吉尔伽美什轻轻放在自己后颈上的冰凉手指，漆拉心里突然翻涌而起的恐惧几乎让他自己站不稳，因为他知道，只要吉尔伽美什此刻从指间稍微释放一些魂力，就足以将自己的爵印彻底粉碎。

然而，吉尔伽美什只是静静地站着，面带着他仿佛天神般的微笑。

从那次之后，漆拉再也没有挑战过吉尔伽美什。因为他心里明白，自己绝对不是他的对手。他甚至从来就没有真正地进攻过自己。

之后的漆拉和吉尔伽美什，渐渐地变成了互相欣赏的朋友。虽然在战斗上，漆拉不是吉尔伽美什的对手，但是，漆拉在空间和时间方面登峰造极的控制，也让吉尔伽美什非常钦佩。所以，渐渐地漆拉成为了雾隐绿岛上唯一来访的客人。有空的时候，漆拉也会教三个使徒们一些速度上的技巧。

但是，这一次到访的漆拉，虽然面上依然是那种精致俊秀的完美表情，但是，银尘看得出来，他眉宇间织满了愁云。他的目光里隐藏着一种沉痛。

吉尔伽美什抬起头，看了看漆拉，他把笑容收起来，对银尘和格兰仕说：“你们两个先去找东赫吧。”

银尘点点头，恭敬地低头退下，他走到格兰仕身边，伸出手将那些冰晶融化了之后，拉着格兰仕离开了。

空旷的草坪，阳光从头顶直射而下，庞大的寂静笼罩着巨大的宫殿。整个雾隐湖上，只有风吹动树冠的辽远树涛声。

吉尔伽美什在阳光下轻轻地眯起眼睛，狭长的眼眶里闪动着金色的光芒，“说吧，出了什么事？”

漆拉面色凝重，他小声而慎重地说：“魂兽暴动了。”

“镇压魂兽的事情，怎么不去找伊莲娜？以她的天赋来说，再凶猛的魂兽在她面前，不也就像是个婴儿一样么？”吉尔伽美什淡淡地看着漆拉。

“这次不一样，”漆拉停了一会儿，“这次暴动发生在北之森深处，自由和宽恕两头上古魂兽，同时暴动了。”

吉尔伽美什看着面前的漆拉，没有说话，他帝王般孤高的脸上，出现了一丝沉重的神色。他直直地盯着漆拉的眼睛，仿佛想要从他的眼睛里，看出一些秘密来。

第十八章

闇之骑士

漫无边际的暴风雪，
将整个天地卷裹得一片混沌，
周围拔地而起的巨大杉木连绵不断，
积雪沉甸甸地挂满树冠，
看上去仿佛无数个裹着雪狐皮草的女妖，
阴气沉沉地站在昏暗的天色里。

【四年前】
【西之亚斯蓝帝国 · 深渊回廊 · 北之森】

漫无边际的暴风雪，将整个天地卷裹得一片混沌，周围拔地而起的巨大杉木连绵不断，积雪沉甸甸地挂满树冠，看上去仿佛无数个裹着雪狐皮草的女妖，阴气沉沉地站在昏暗的天色里。

空气里一阵无声的爆炸，透明的涟漪扩散开来，一团漆黑的雾气和一团金黄色的雾气，随着爆炸声卷动起来，仿佛两股旋风，雾气在空气里飞快地凝聚成形，吉尔伽美什拿着一个红酒杯，表情悠然而又平静地站在雪地上，他杯里的红酒轻轻地晃动着，在寒冷的空气里荡漾出一圈醉人的酒香。

“再不喝掉，就结冰了吧。”吉尔伽美什自言自语地轻声说着，然后抬起头，将剩下的红酒一饮而尽。

“暴动的魂兽就在前面。”漆拉走过来，望着前方混沌暴雪里的森林尽头，目光沉重地说。

吉尔伽美什朝前轻轻地走了两步，雪地上一个脚印都没留下。他面朝着风雪咆哮的远处，轻轻地闭上眼睛，如同天神般俊美尊贵的面容渐渐地凝重起来，他重新睁开眼，看着漆拉说：“怎么会这样……”

“我也不明白，接到天格消息的时候，仅仅只是自由暴动了，而几个小时之后，宽恕也从地底觉醒了……”

“但这是不可能的……”吉尔伽美什转过头，脸上温和而动人的神色消失殆尽，“你可知道，自由和宽恕都是上古的四大魂兽，而且是排名最靠前的两头，随便哪一头，都足以摧毁半个国家，就论魂力而言，自由和宽恕的魂力都在你之上……”

漆拉看着吉尔伽美什，没有说话，他俊美的面孔此刻笼罩着一层寒气，他的瞳孔微微颤抖着，瞳孔里一片无边无际的恐惧，在这之前，他只知道暴动的这两头魂兽的魂力登峰造极，但是，他从来没有想过，竟然会有魂兽的魂力超过王爵，甚至是超越了曾经位居一度王爵的自己……

吉尔伽美什看着自己面前沉默的漆拉，继续说道：“一百年以来，自由、宽恕以及祝福、诸神黄昏四头亚斯蓝领域上最邪恶暴戾的魂兽，一直都处于蛰伏的状态，自由一直待在亚斯蓝最西面的石林里，而宽恕一直待在极北的雪原深处，祝福一直在西南面的雷恩海域的海底峡谷潜伏，诸神黄昏虽然下落不明，但是我也能肯定它们彼此都各自占据一处领地，相隔万里。历史上，它们苏醒的次数屈指可数，同时苏醒的次数更是为零。因为它们的每一次苏醒，都是以巨大的黄金魂雾作为消耗的基础，一旦它们觉醒，周围方圆数万米以内的魂兽瞬间都会灰飞烟灭，所有魂兽体内的魂力也会重新化为黄金魂雾，被强行吸收进觉醒了的它们的体内。所以，怎么可能在北之森这么小的范围内，同时觉醒了两头这样的怪物……”

“我也不清楚……二度王爵幽冥和五度王爵伊莲娜，以及七度王爵费雷尔都已经赶过去了，不知道他们现在情况如何……”漆拉站在吉尔伽美什身后，忧心忡忡地说。

“除了幽冥，我不敢保证之外，其他的人，谁去谁死，”吉尔伽美什转过头，看着漆拉，“包括你。”

漆拉的脸上掠过明显的恐惧。

“所以……我劝你还是赶紧回去吧。如果我没有感应错误的话，自由和宽恕现在已经彻底被幽冥和伊莲娜惹火了，两头魂兽此刻都已经是百分之五十的苏醒状态了。你告诉他们两个，现在走还来得及，等到它们完全苏醒的话，他们两个一眨眼就会被撕成碎块的。”

“可是……难道就任由这两头魂兽暴动而不管么？”漆拉望着风雪弥漫的森林尽头，远处隐隐传来魂力的余震。

“两头这种级别的魂兽，不可能长时间暴动的，只要不是有人故意持续煽动它们，让它们百分之百地苏醒过来的话，那么当周围的黄金魂雾耗尽之后，它们自然会重新进入沉睡状态，不用管的。”

“但我们接到来自白银祭司的指令，说是要捕获这两头魂兽。”漆拉望着吉尔伽美什说。

“你们要来捕获它们？不要开玩笑了，就凭你们几个，你们连靠近宽恕的脚边都做不到。更不用提几万年来一直处于魂兽实力巅峰，从来没有任何魂兽能超越的自由。漆拉，你真的知道自己在说什么吗？以你的资历，不可能不知道那四头怪物级别的魂兽的实力吧。你知道它们在亚斯蓝的国度上存活了多少年么？这四头魂兽几乎就是亚斯蓝国度上活着的遗迹……”吉尔伽美什望着漆拉，冷冷地说，“反正，我不去，除非是白银祭司亲自下达的指令，否则，任何人传递这个消息，在我看来，都太过荒谬了，我相信白银祭司不会做这么荒谬的事情。”

“不是我们捕获……”漆拉看着吉尔伽美什，“白银祭司是让我们协助你，捕获宽恕，成为你的第一魂兽。”

吉尔伽美什看着漆拉躲闪的眼神，面上拢起一阵寒霜，“所以……是你们故意把它们唤醒的？”

漆拉看着面前目光如同冬雪般发亮的吉尔伽美什，缓慢地点了点头，

“我们本来只想唤醒最近的极北雪原里沉睡着的宽恕，结果没想到，不知道什么原因，自由竟然出现在了离极北雪原不远的北之森里，两头魂兽彼此感应到了对方汪洋般的魂力，都想要将对方吞噬到自己肚子里……所以它们逐渐地一边彼此靠近，一边缓慢地觉醒着，最后在北之森的最北面会合了……”

“你们可知道，你们干了一件多么可怕的事情么……”吉尔伽美什看着远方混浊的暴风雪，低沉的声音扩散在风暴里。

“王爵，如果您现在去还来得及，凭我们所有王爵的力量，再加上您的实力，应该可以捕获宽恕的……但是要快，它们此刻正在持续地觉醒着，如果再晚，当它们百分之百地苏醒过来……”

吉尔伽美什回过头，看着漆拉，半晌，终于沉重地点了点头，“你做棋子吧，我们直接去。”

四处倒塌的巨大树木，无数的树干断裂开来，空气里咆哮翻滚的魂力，仿佛无数看不见的透明巨大刀刃，风驰电掣地卷动着，地面厚厚的积雪被掀起来，肆意地在空气里翻滚，将视线模糊成一片，周围是此起彼伏的巨大撞击声，参天大树一棵接一棵地轰然倒下，然后又迅速地被空气里刀锋般的魂力卷动成木渣粉末，被风吹散。很快，方圆一千米以内，都变成了只剩下树桩的巨大旷野雪原。

五度王爵伊莲娜大口大口地喘息着，单腿跪在地上，佝偻着身体，手上的剑插在深深的积雪里，她在用着最后的力气，勉强地维持着自己的姿势，她不想倒下去。

而在她的身后，是穿着白银铠甲的七度王爵费雷尔，他雄浑锋利的铠甲上，沐浴着大片大片淋漓的鲜血，铠甲下的雪白战袍，也被鲜血浸透了。他跪在地上，手上的盾牌裂开了两道深深的裂缝，巨大的银枪倒在他的脚边，他口中不时喷出滚烫的鲜血，洒在地上，迅速地凝结成鲜红的冰花。

而在费雷尔的身旁，是面如纸色的幽冥，此刻他正靠着一个巨大的树桩，紧闭着双眼。他的躯体仿佛被无数把锋利的刀刃切割开了一般，暴绽出无数条深深浅浅的伤口，他结实的胸膛上，是三个拳头大小的血洞，此刻，正汩汩地往外淌血。他仿佛失去意识一样，瘫倒在地上，还好能够看到受创的胸膛里，此刻正在缓慢地蠕动着，重生出鲜红色的崭新血肉，证明他还活着。

而远处的暴风雪里，一个巨大的花朵轮廓，仿佛一朵莲花般，缓慢地摇曳着。

伊莲娜的心如同巨大的石块般沉了下去。

在这之前，她只是听说过这个存活了千万年的上古魂兽，传说里宽恕的外形和一朵莲花没有任何的区别，或者说，宽恕其实就是一朵不知道什么原因，而具有了活动力和意识的极北之地特有的【巨莲】，而此刻，远处混浊翻滚的风暴里，那朵巨大的莲花看起来足足有一座小山那么高。

本来，伊莲娜以为凭自己【催眠魂兽】的天赋，足以牵制住宽恕，再加上二度王爵庞大的魂力，就算不能捕获宽恕，但至少不会落到现在的局面。但是，当他们三个人还没有靠近到足以看清楚和宽恕的距离，就被暴风雪里突然暴射而出的几条巨大的血红色舌头一样的东西，打得没有还手之力。

【四年前】
【西之亚斯蓝帝国 · 雾隐绿岛】

夜色下的雾隐湖显得静谧而又美好。

月亮皓洁的光辉高高地从天空上洒下来，将茂密的森林涂抹上发亮的银色。水银般的光影在湖面上缓慢地流动着，大大小小星罗棋布的岛屿上，不时传来一两声幽静的鸟鸣。偶尔有一两条鱼跃出水面，溅起波光粼粼的涟漪。

银尘和东赫、格兰仕三个人坐在湖边上，彼此都没有说话。

下午漆拉到访之后，吉尔伽美什什么都没有和他们三个说，就匆忙地离开了。整个雾隐绿岛上，就只剩下他们三个人。

漆拉临走之前，还神色凝重地找到他们三个，让他们暂时封闭他们和吉尔伽美什之间爵印的感应联系，因为他和吉尔伽美什马上前往执行一个极度危险的任务，所以，千万不要有任何可能会干扰到他，让他分心的魂力感应或者召唤。当时，银尘三人点点头，都暂时切断了自己和吉尔伽美什爵印之间的感应联系。他们隐约地能从漆拉的脸上，感受到那种危机四伏的气息。

虽然以前也发生过吉尔伽美什突然就被白银祭司召唤而瞬间消失的情况，银尘也早就已经习惯了吉尔伽美什仿佛神龙般的行踪，但是，他从来都没有看到过漆拉脸上露出如此沉重的神色。他知道，这一次的任务肯定是非常危险的。

“你说王爵去哪儿了？”格兰仕捡起脚边的石头，无聊地打着水漂。

银尘和东赫都没有搭话，两个人的目光都显得有点儿沉重。

空气里突然有一股透明的涟漪扩散开来，微弱得几乎不能察觉。

“你们有感觉到……”格兰仕懒散的面容突然紧绷起来。他迅速地回过头，望着漆黑的树林深处。

“你们两个站到后面去。”东赫站起来，将格兰仕和银尘拉到自己身后。他缓慢地朝前走了两步，浑身金黄色的刻纹清晰地浮现出来，空气里振动着他的魂力发出的蜂鸣声。

一种庞大的恐惧从前方的黑暗里铺天盖地地袭来。

无声无息的寂静。

没有任何声音，没有任何影子。

只有不知道来处的，看不见、摸不着的，清晰骇人的森然恐怖感扑面而来。

银尘和格兰仕的脸色死一样的苍白。

东赫激荡起魂力，身后的湖面上突然蹿起无数的水柱，哗啦啦凝固为锋利的冰箭，疾速射向前方浓厚的黑暗里。但是，所有的冰箭仿佛石沉大海一样，没有任何的声响，如同被黑暗里一个无形的怪兽轻易吞没。

突然，一阵轻轻的笑声幽幽地从前方黑暗里飘来，仿佛一个幽灵。

一个女幽灵。

一团模糊幽暗的白光，从黑暗里隐隐地浮动出来。渐渐地越来越清晰，一步，一步，一个穿着雾气般浮动的纯白纱裙的妖艳女人，从黑暗里缓慢地朝银尘他们三个走来。

银尘迅速地放出阵法，草地上旋转的光芒还没来得及释放，就突然被不知道什么东西吞没了，仿佛被大地吸进了土壤深处。

东赫双手用力一举，身后的湖面突然爆炸出巨响，几股双臂环抱粗细的水柱突然破水而出，仿佛锋利的冰龙一般刺向那个女人，同时，格兰仕双手朝地上一按，无数从地表“刷刷刷”刺穿土壤的冰剑，从格兰仕的手下，一路朝那个女人疯狂地刺去。

然而，所有的攻击在接触到那个女人的身体的时候，都突然消失不见了，仿佛被她那些如同雾气般翻飞的白色长裙吞噬了一般，消失得寂静无声。

她脸上始终弥漫着诡异而妖艳的笑容，她赤着双脚踩在草地上，一步一步轻盈地朝他们靠近，仿佛一个黑暗里缓慢走来的鬼魅。

“这……这不可能……”东赫内心的恐惧像是疯狂生长的藤蔓般将他的心脏缠绕窒息。他突然发现自己的身体丝毫也不能动弹，他抬起头，那个白色长裙笼罩下的女鬼，此刻突然站到了自己的面前。

“我还以为，天底下所有的使徒，都像我家的那位一样厉害呢，”她轻轻地抬起白皙的手，掩住嘴角，妩媚而诡异地笑着，“没想到，一度王爵的使徒，竟然这么弱啊……”

东赫突然感觉到，不知道什么时候，那个女人的一只手已经放到了自己尾椎爵印的位置，东赫还没来得及张口，突然两眼一黑，仿佛一块石头般，轰然倒下了。

“你是谁……”格兰仕忍着眼眶的热泪，咬着牙问。

妖艳的女人抬起脚，踩在死去的东赫的脸上，她抬起头，看着面前的银尘和格兰仕，脸上弥漫着诡谲的笑容，她用一双白色雾气翻滚汹涌的瞳孔，看着他们，笑盈盈地说："哎呀，我真是太没礼貌了，忘记告诉你们我的名字了，你们一定要记得我哦，我叫特蕾娅。我今天来，负责杀死你们呢。"

【四年前】
【西之亚斯蓝帝国·深渊回廊·北之森】

片刻之前，当他们刚刚踏进现在的这片范围的时候，远处混沌的风雪里，几条红色舌头般软绵绵的巨大肉状藤蔓，带着巨大的刺鼻腥气，在顷刻之间，就以闪电的速度，从风雪深处朝着三人暴射而来，费雷尔还没来得及举起盾牌释放魂力，就突然被一条血红的肉状藤蔓"啪"的一声，拍在盾牌上，他整个人被震得凌空飞起，往后摔出十几米的距离，口中的鲜血在空中喷洒出一道弧线来，他浑身铠甲的沉重躯体将一棵巨大的银杉拦腰撞断后，仿佛一块巨石般轰然落地。

幽冥和伊莲娜翻倒在身旁的雪地里，千钧一发地避了过去，但幽冥的右肩膀依然被肉藤上密密麻麻的倒刺儿刮去了一大块皮肤，几缕刮下的皮肉仿佛残破的布块一样，血淋淋地挂在肩膀上，鲜血沿着他的胳膊往下流，滴滴答答地从他的五指指尖滴到雪地上，打出一个一个黑色的窟窿。

"怎么会这样……"伊莲娜颤抖的眼眶里，滚烫的眼泪翻涌而出，从未有过的恐惧让她突然挪不动步伐，她仿佛感觉到前方混沌的风雪里，是一个自己无法抗衡的死神。"我不想死……我不想死……"

"你理智一点儿！不想死就照我说的做！"幽冥伸出左手，将残留在右肩膀上的几块被刮下来的皮肉一把撕下来，他眉头都没有皱一下，直接走到伊莲娜面前，说，"等一下，当宽恕再一次攻击我们的时候，你用最大的力气去控制它，虽然不能百分之百地催眠，但是，我相信不会一点儿作用都没有，你要知道你是这个大陆上的王爵，你是魂力最杰出的七个人之一。你只管用全力牵制它的攻击，剩下的，就交给我。"

伊莲娜抬起头，面前的幽冥长发被风吹起，脸上笼罩着腾腾的杀气，风吹开他的漆黑战袍，将他结实的胸膛暴露在空气里，凛冽的寒风将他结实而充满性欲象征的裸露躯体，吹出古铜色的光芒来。他拢紧的锋利眉毛下，是一双毫不惧怕的眸子。伊莲娜不由自主地被他的气势感染了，迟疑地点了点头。

幽冥转过身去，他浑身的金色刻纹浮现出来，发出耀眼的光芒，仿佛要冲破他的皮肤飞出来一样。他被肉藤刮去的那块伤口，在强大翻涌的魂力下，迅速地愈合重生，迅速变得光滑起来。

“你的魂力足够催眠多大范围内的魂兽？”幽冥双眼凝视着前方危机四伏的暴雪，仿佛突然想起什么似的问道。

“不知道……但是，刚刚宽恕和自由都大幅度地觉醒了一下，几乎将周围所有的魂兽都撕成了粉碎，吸收了它们所有的魂力。”伊莲娜看着幽冥，不知道他想干什么，“但是，就算我能将远处的魂兽催眠过来，也没有任何的作用啊，它们在宽恕面前几乎什么都不是啊……”

“我并不指望用那些魂兽去对抗宽恕，我只是想……你按照我说的做就行了，现在，你将周围所有能调集到的魂兽，全部驱赶到这里来。”

伊莲娜收敛心神，强压下心中的恐惧，她闭上双眼，在脚下绵延万里的雪地上，悄然无声地释放了她的【驭兽之阵】来，仿佛一圈金色的涟漪一样，在雪地上轻轻地扩散开来，飞快地传递开去。

隐隐地，大地传来仿佛地震般的轰鸣，紧接着，远处无数只巨大的独角雪犀雷霆万钧地冲撞过来，同时，脚下的大地瞬间高高地隆起，厚厚的冰层咔嚓咔嚓地裂开深深的地缝，成百上千只巨大的仿佛铁铠般坚硬的甲壳类昆虫，从地缝里嘶叫着爬出地面，它们甩动着仿佛鞭子般的触须，拳头大小的赤红眼球转动不停，翅膀在甲壳下震动着，发出类似铁片般哗啦啦的声响。

幽冥喉咙里发出一声仿佛野兽般的怒吼，他脚下的地面突然旋转出一个崭新的黄金之阵，空气里四射着刺眼的光芒，在这个阵的范围里的雪犀和各种奇形怪状的昆虫身上，都突然浮现出发亮的金黄色魂印来，幽冥整个身体突然朝后弯曲，悬浮在空中，他双臂张开，一瞬间，上百个魂印爆炸成碎片，无数金黄色的碎片仿佛被黑洞吸纳着一般，朝他掌心源源不断地旋转过去，幽冥野性而英俊的面容上，此刻呈现着一种撕心裂肺的迷幻般的快感，他的瞳孔涣散成一片闪动的绚丽光芒，嘴角邪恶的笑意让人毛骨悚然。

伊莲娜看得呆住了，她从来不知道幽冥的天赋是如此可怕而邪恶，这个新近诞生的杀戮王爵一直都保持着神秘的行踪，平时从来不会见到他的身影，只要他出现，就必定会带来王爵或者使徒的死亡。

幽冥的目光重新凝聚起来，他缓慢地降落在雪地上，看了看周围爆炸散落的魂兽尸块，和雪地上凝结起来的大大小小的血泊，神色凝重地说："你准备好了么？"

伊莲娜点点头，全身的金色刻纹也浮现了出来。

幽冥突然举起右手，朝着远处的空气里一挥，一道透明的涟漪划破空气，雷霆般地朝前旋转而去，往前飞出几十米之后，透明的涟漪渐渐凝结成了一道闪电般的旋转冰刃，速度越来越快，转眼消失在混沌的风雪里。

如同石沉大海一般，远处空旷的苍茫白色里，安静得仿佛一座坟墓，除了周围嘶吼的风雪声之外，伊莲娜只听得见自己紧张的心跳声。

突然，还没来得及看清楚，两道血红色的闪电就朝着幽冥和自己激射过来，伊莲娜下意识地想要躲，但是突然想起刚刚幽冥的告诫，于是两眼一闭，抱着必死的心，瞬间释放出自己最大限度的驭兽能力。

空气里一声仿佛断弦般的破空声，两道红色的闪电在伊莲娜强大的天赋之下，动作停滞了那么几秒，仿佛慢镜头一般，在空气里缓慢下来，而对幽冥来说，几秒钟就够了。

他的身形一动，如同一个幽灵般蹿到伊莲娜的面前，伸出双手，以不可思议的速度抓住了快要刺穿伊莲娜身体的两条血淋淋的树干般粗细的肉状藤蔓，幽冥两眼瞬间闪过刀锋般的光芒，他一声低吼，双手突然爆炸出排山倒海的魂力，一瞬间，两条血淋淋的藤蔓沿着幽冥的双手咔嚓咔嚓地全部冻结上了一层银白色的坚冰，无数冰块哗啦啦地凝结在藤蔓表面，朝着混沌风雪深处的宽恕游蹿而去，如同两条白蛇，幽冥两眼放出血红的光芒，双手一抖，哗啦啦啦的一阵脆响，两条血淋淋的藤蔓，瞬间碎成无数的冰碴，掉落在地上。

远处的混沌风雪里，传来一声沉闷而巨大的痛苦嘶吼。

幽冥的脸上弥漫着杀戮的邪气，嘴角的笑容在惨白的雪光下显得狰狞而诡异。

伊莲娜看着面前的幽冥，他浑身散发着一种让人恐惧的压倒性力量。伊莲娜感觉，站在自己面前的这个裸露着上身的男人，如同另外一种怪物一样，让人恐惧。

幽冥看着自己面前脸色苍白的伊莲娜，喉咙里发出怪异的笑声来，但是，他的笑声很快凝结，他看见伊莲娜的瞳孔里，倒映出无数密密麻麻的红点。

他转过身，还没来得及看见铺天盖地迎面射来的上百条血淋淋的倒刺藤蔓，就两眼一花，在全身几乎快要被撕裂般的痛苦里，昏了过去，他的肉体被高高地甩了出去，坠落在雪地上。

伊莲娜呆若木鸡地瘫倒在原地，看着自己面前朝天空肆意疯狂摆动摇曳着的红色巨蟒般的肉状藤蔓，浑身颤抖着，被恐惧抓紧了心脏，没有一丝力气挪动自己的身体。

她面如土色地看着天空里无数条沉重的血红巨蟒，朝自己疯狂地蹿动下来，她闭上双眼，等待着自己的身体被撕成粉碎。

“退到后面去，漆拉，你先保护幽冥和伊莲娜。”耳边突然传来一个低沉却温柔的声音，那声音带着一种帝王的尊贵，同时又充满了诱人的磁性。

伊莲娜睁开双眼，自己已经远离了刚刚死亡阴影的笼罩，身边依然躺着昏迷不醒的幽冥，不远处，七度王爵费雷尔勉强从地上挣扎起来，朝她走过来。

伊莲娜回过头，往远处看去，目光的尽头，漆拉翻飞的黑色魂术长袍，仿佛黑色的莲花一样妖冶诡异，和远处风雪里隐隐露出轮廓的巨莲极其相似。而此刻站在他身边的，是闪耀着金色光芒的亚斯蓝的魂术巅峰——一度王爵吉尔伽美什。

“你知道你们惹到了一个什么样的怪物么……”吉尔伽美什望着前方成百上千根朝着天空蠕动摇曳的红色巨蟒般的血红肉藤，低声说道。

“这些血淋淋的红色藤蔓，应该是巨莲的花蕊吧？而它纯白色的花瓣应该还没有觉醒。如果我们趁早出手的话，还有胜算吗？”漆拉看着吉尔伽美什，尽量控制着自己声音里因为紧张而产生的颤抖。

“我说的怪物啊，可不是面前这个哦……面前这个宽恕虽然棘手，但是勉强拼到极限的话，至少还有活着逃出去的可能……我说的怪物，可是这朵巨莲背后，远处那个正一步一步朝我们走过来的小家伙呢，”吉尔伽美什的眼神像是结冰般又冷又锋利，“如果它不参战的话，也许我们还能活着离开吧。”

吉尔伽美什回头看着一脸苍白、沉默不语的漆拉，继续说道：“这四头几乎接近恐怖级别的怪物，是亚斯蓝领域上魂兽实力的巅峰，其他的魂兽魂力和它们几乎是天壤之别，但是这四头魂兽，实力也分强弱，从最弱的诸神黄昏，到祝福，再到宽恕，而处于金字塔最顶端的，就是远处现在还暂时没有参战欲望的自由。”

“自由比宽恕厉害很多么？”漆拉问。

吉尔伽美什转过头，帝王般的容颜在风雪里透着一种肆虐的吸引力，仿佛冰雕玉砌般的五官发出柔亮的白光，“自由和宽恕的差距，就像是……我和你的差距。”

漆拉倒吸一口冷气，转头望着远处混沌的风雪，宽恕巨大摇摆的触须，释放着巨大而混乱的魂力，因此，漆拉完全无法感知到宽恕背后的自由的魂力状态，而且刚刚吉尔伽美什说，自由此刻还没有参战欲望，那么它的魂力也就还没有释放，只是处于隐藏状态……而吉尔伽美什的天赋并不是精准的魂力感知，但是他却依然可以清晰地透过面前混乱暴走的宽恕的魂力屏障，而了解到远处此刻处于隐藏状态下的微弱魂力。

真不知道，吉尔伽美什到底是一个多么深不可测的怪物。这也许就是和众多王爵都不一样的亚斯蓝魂力巅峰一度王爵的压倒性实力吧。

“漆拉，我再和你确认一次，捕获宽恕成为我的第一魂兽，真的是白银祭司的命令么？”吉尔伽美什问。

“是的。”

“好，那你做一枚棋子，让我可以在不触怒宽恕的情况下绕到它的身后去，我先要去解决自由，否则，就算捕获到了宽恕，我可没有力气再对付一个那样的家伙。”

“那宽恕怎么办？”漆拉问。

吉尔伽美什转过头看着漆拉，脸上是迷人的微笑，他低沉而动人的声音像冬日里的暖阳，他抬起手，抚摸了一下漆拉英挺的眉毛，说：“如果说要你战胜宽恕，确实不太容易，但是如果只是想躲避宽恕的攻击，保护好自己的话，漆拉，你比谁都厉害啊。就连我，都不知道能不能杀得死你呢。”他嘴角轻轻扬起，笑容高贵迷人，“你等我吧，我一会儿就回来。在我回来之前，就麻烦你照顾好他们几个了。”

【四年前】
【西之亚斯蓝帝国・雾隐绿岛】

月光下，东赫的尸体直挺挺地倒在湖边，他的身躯在寒冷的夜色里迅速地僵硬了。

银尘的眼泪涌在眼眶边缘，恐惧混合着愤怒，让他的眼睛放出野兽般的红光。站在他身边的格兰仕，双手拿着两把狭长而锋利的刺刃，作为地之使徒，他是三个使徒里第一个拿到魂器的人。这两片狭长锋利的刺刀样的兵器，以一种比玄铁还要坚硬的物质锻造而成，至为坚硬至为轻盈，使用起来没有任何负担，格兰仕本身就以闪电般的速度和雷霆般的力量见长，所以，他双手挥舞起双刃的时候，就像是两股灰色的闪电，所过之处，轻易地斩杀一切。

格兰仕轻轻地将银尘拉到他的身后，他的个子本来就比银尘高，身材也壮，此刻站在银尘面前就像是他的守护神一样。银尘心里涌起一阵难过，虽然在一起的日子里，格兰仕永远像一个长不大的野孩子一样，整天不务正业，也爱拿自己寻开心，但是，在任何有危险的时候，他永远都站在自己的前面。

一年前，在沙漠里寻找【阿卡时黄气宝石】的时候，突然遇到成群铁蝎，在干涸的沙漠里，擅长元素攻击的银尘，找不到任何的水源，战斗力大幅度下降，那时也是擅长物理攻击的格兰仕挡在他前面保护的他。暴烈的阳光下，格兰仕健壮的胸膛被巨大的铁蝎划出一道鲜血淋漓的口子，鲜血洒在滚烫的黄沙之上，仿佛一朵朵鲜红的罂粟花。

两年前，在【幽碧峡谷】，自己和格兰仕同时摔下山谷，那个时候是格兰仕紧紧抓住自己，死也不肯放手，虽然最后两个人一起摔了下去，如果不是东赫驾驭着【雪雁】及时飞来营救，两个人都会死在长满【紫色人面裂齿长藤】的山谷底部。

还有两年半以前，在【雾女沼泽】，当他和格兰仕一起被脚下突然出现的活物般择人而噬的绿色腐烂沼泽扯住的时候，也是格兰仕，举起银尘，扔出沼泽的范围，而全然不管因为用力而更加下陷的自己……

无数的回忆涌上银尘的心头，他的喉咙像被滚烫的沙子堵满了一样，发不出声音来。生平第一次，他真正感觉到了死亡的恐惧。越过格兰仕宽阔的肩膀，远处那个诡异微笑着的白裙翻飞的女人，此刻正目光怪异地看着他们两个，像是看着两个将死之人。挡在自己面前的格兰仕，身躯高大挺拔，浑身的肌肉此刻正翻涌着无数的魂力，他的肌肤被泛滥发光的金黄刻纹映照出一片古铜光芒，他的头发扎在脑后，肆意地飞扬在风里。

不知道什么时候，他已经从当初印象里那个男孩，变成了这样一副伟岸的男人样子。

空气里一声蜂鸣，银尘眼前一花，格兰仕的人影已经闪电般地朝特蕾娅冲了过去，他的身影在这种极高的速度之下，拉动成灰色的光芒，只有他两只手中疯狂震动翻卷的两把狭长薄锋，震动出无数的幻影，在空气里划出一道一道闪电般的透明光亮来。

但是，站在远处的特蕾娅，只是轻轻地移动着自己的脚步，看起来非常缓慢，毫不费力地，就能躲开格兰仕雷霆般的攻击，仿佛每一次格兰仕的攻击，她都能提前知道方位和力量大小一样，她的脸上始终带着那种扭曲而诡异的笑意，两只眼睛此刻正绽放出骇人的白光，似乎她的瞳孔里此刻正卷动着漫天的暴风雪。

“这不可能……”格兰仕重新回到银尘身边，他的胸膛剧烈地起伏着，大口喘息，浑身蒸腾着金黄色的热气，银尘伸出手，轻轻地放在格兰仕的尾椎上，手里源源不断的金黄色魂力涌动出来，会合进格兰仕的身体里，补充着他刚刚那超高速度消耗的魂力。

“看起来她对魂力的流动感知非常精准，我难以接近她的身边，”格兰仕转过头，在银尘耳边小声说道，“看来，只能采用远距离攻击了，银尘，你比较擅长元素使用，我来协助你。”

银尘点点头，看着格兰仕大汗淋漓的面容，有点儿担心地问：“你使用这种速度，魂力消耗会很大的，还吃得消么？”

“没关系，雾隐绿岛上黄金魂雾浓度非常高，恢复起来很快的。你自己当心。”格兰仕看着银尘，目光滚烫发光，仿佛一个年轻的战神。

银尘慢慢走到前面，他全身的金黄刻纹浮现出来，甚至脖子上都密密麻麻地爬满了，如果论魂力的驾驭能力和元素的使用熟练度的话，银尘是三个使徒里天赋最高的，他似乎与生俱来就对元素有着出类拔萃的驾驭能力。在格兰仕还不能将水以冰的状态悬浮在空中的时候，银尘已经可以将水以液体的原态在空中自由游动旋转了——而谁都知道，不改变元素的形态直接操纵，是比以冰雪等固体形态操纵要困难得多的事情。当然，格兰仕在力量和速度上的天赋，也让银尘望尘莫及。所以，在雾隐绿岛这样被水源环绕着的区域，银尘的战斗力自然远超其他靠速度或力量取胜的王爵使徒。

“哎呀，怎么了？换人了啊？”特蕾娅目光清澈起来，显得更加胸有成竹，她甚至轻轻地在草地上一块光滑的大石上坐下来，蜷缩着双腿，月光下，她的双腿修长结实，从长裙开衩的地方诱人地伸出来。她的长裙与其说是包裹住她的全身，不如说仅仅仿佛是浮动的云絮一样，轻拢着她曲线玲珑的躯体，她雪白而高耸的胸脯，盈盈一握的腰肢，都肆意地散发着勾魂夺魄的蛊惑力。

银尘和格兰仕的脸微微一红。

“来啊，小伙子。”特蕾娅抬起手，掩着嘴轻轻地笑着。

“锵——”

“锵——”

空气里两声巨大的金属摩擦声，两道又薄又锋利的兵刃仿佛神鬼出没般，突然从空气里显形，快得甚至都让人看不到它们的存在，只能听到它们急速地划破空气的声音。两道巨大的薄刃闪电般地划向特蕾娅，在靠近她的身体范围内的时候，突然消失不见了。

“怎么会……这样……”银尘脸色苍白，刚刚他在空气里凝结出的两片刀刃，仿佛消失在了特蕾娅周围的空气里。他收敛心神，双手一张，身后的湖泊水面突然高高隆起一个圆弧，如同湖底有一个巨大的怪兽即将破水而出，下一个瞬间，巨大的爆炸声快要将每个人的耳膜都撕裂了，爆炸之后的湖面，突然蹿出无数条仿佛巨龙般的冰柱，它们高高地冲天而起，然后以雷霆般的威力轰然朝特蕾娅砸落，同时，格兰仕人影闪动，仿佛一条灰色的闪电刺向特蕾娅。

无数股力量会聚到一起，轰然炸裂，银尘被迎面而来的气浪冲得不得不往后倒跃出去，跌落在草坪的边缘，差点儿掉进湖里。

四散爆炸的泥土、草屑、冰碴，将空气搅动得一片混沌。银尘努力地在周围急速流动的空气里睁开眼睛，他看着面前的景象，内心的恐惧如同汪洋般将他吞噬干净。迎面走来的特蕾娅，此刻，她全身的纯白色纱裙，仿佛有生命力的巨大海草一样，肆意地朝天空生长着，迎风缓慢摇曳，说不出的恐怖和怪异，她的瞳孔一片苍白的迷茫，嘴角笑意盈盈，仿佛一个艳丽的女鬼准备择人而噬，无数冰碴碎片只要一进入她白裙的范围，都瞬间消失不见，如同石沉大海。格兰仕背靠着远处一棵大树，跌坐在地上，胸前的衣衫上是大块的血迹。

“呵呵……你们听没听说过……有一样东西，叫做女神的裙摆？”特蕾娅笑盈盈地停下来，像是一只猫玩弄着面前挣扎着的老鼠一样，并不急于吃掉它，“那是在防御属性的武器里，最顶级的一面‘盾牌’呢，所有的间接攻击包括元素攻击和魂兽攻击，都在它面前没有任何效果……”

特蕾娅抚摸着她迎风飞扬的雪白裙摆，“正好，我穿在身上的这件白色纱裙，就叫这个名字呢，呵呵，你们说，这该怎么办呀？”

银尘的瞳孔急剧缩小着，他曾经听吉尔伽美什提起过，女神的裙摆是上古的神器，在魂器里属于非常罕见的，他从来没有想过，一面盾牌，竟然会是穿在女人身上的纱裙。

“哦，还有忘记告诉你们了呢，我呀，是现在的四度王爵，不巧的是呢，我的天赋是对魂力的精准感知，如果你们对我直接攻击的话，比如格兰仕的那两把速度极快、对别人来说几乎没办法抵挡的闪电刀刃，他在靠近我之前，我早就能知道他进攻的方位甚至方式了，躲开进攻对我来说，就像在花园散步一样，”特蕾娅仿佛有点儿难过地叹息了一下，“直接进攻没办法，而银尘你擅长的魂术水元素进攻又属于间接攻击，在女神的裙摆的防御范围之内，你们说，怎么办呀？可能你们就没有办法可以杀死我了呢。”

话音刚落，特蕾娅全身的金黄刻纹暴涨开来，无数金黄色的光芒四处流窜，她的目光杀机重重，寒光四射，“但是，我却能轻松地杀死你们！”

巨大的冰刃仿佛是土壤里破土而出的怪兽一般，张大着森然獠牙的血盆大口，咔嚓咔嚓地朝银尘和格兰仕撕咬过去，沿路掀翻的泥土散发着剧烈的腥气，就在那些疯狂蹿出的冰刃快要到达银尘和格兰仕的位置的时候，突然，两团巨大的火焰从银尘和格兰仕脚下的泥土里蹿动升起，无数的火光仿佛蟒蛇般瞬间将冰刃融化成水，火光游动着，如同温柔的守护神一样，保护着银尘和格兰仕。

“这……这不可能……”特蕾娅的脸色苍白一片，“你们怎么可能会使用‘火’的元素……你们到底是谁……”

银尘慢慢地站起来，走到格兰仕身边，他扶起格兰仕，两人并肩站立着。特蕾娅看着他们，眼里是仇恨的目光，她仿佛明白了什么一样，咬牙切齿地说：“……好，真好……原来白银祭司给了你们这么变态的天赋，我一直以为，【四象极限】只是传说中的天赋，它不可能真实地存在在王爵的体内，原来，吉尔伽美什，再加上你们天、地、海三使徒，天下已经有四个人拥有了这样可以使用所有元素的天赋……好……非常好……怪不得白银祭司要杀你们……”

“因为你们确实该死！”一瞬间，特蕾娅的面容扭曲狰狞，她全身仿佛爆炸开无数的气浪，巨大的白色纱裙膨胀翻滚，仿佛遇风则生一样，瞬间变得巨大无比，铺天盖地的白色云浪，将周围的空间遮蔽包裹，银尘还没来得及看清楚，就被卷裹而来的白色丝绸蚕茧般裹紧了全身，下一个瞬间，如同千斤巨石压身，白色丝绸像一条条巨蟒般勒紧了自己的身体，胸膛上巨大的压力让银尘气血翻涌，一口鲜血喷洒而出，银尘听见了自己肋骨断裂的声音。

四处翻涌的气流，空气里不时发出雷鸣般的爆炸声，泥土在暴风里旋转飞舞，遮天蔽日，银尘的意识在不断勒紧的白色绸缎里，渐渐消失，特蕾娅看着面前两个被全身包裹着无法呼吸、不停挣扎的一度使徒，脸上是狰狞不断的笑容，“这样的天赋，本来就不应该存在于这个世界上！你们都去死吧！”

“咔嚓——”

“咔嚓——”

一枚薄薄的刀刃从丝绸的卷裹里刺了出来，紧接着，第二根，第三根……连续不断的刀刃哗啦啦地将层层丝绸划开，仿佛白色的蚕茧里，有什么怪物正在迅速地膨胀、挣扎，呼之欲出……

特蕾娅的心仿佛被一根钢丝勒紧了……“这不可能……这……”她看着不断疯狂地从丝绸里刺出来的巨大刀刃，仿佛明白了什么一样，突然诡异地笑了，“哈哈……哈哈哈……你竟然使用了黑暗状态，一个使徒竟然不自量力地使用了哪怕是高位王爵都不敢轻易使用的禁忌魂术，哈哈……太好了，我不杀你，你这么努力地要活下去，我怎么舍得杀你呢……”

特蕾娅白色的瞳孔里放射着兴奋到扭曲的光芒，“我今天就要好好看着你，怎么变成一个怪物！”

天地间突然绽放出的黑色光芒，将白色的丝绸撕成碎片，轰隆隆的声响，仿佛大地都在颤动，银尘的意识缓慢地恢复过来，当他的视线聚拢来的时候，他惊呆了，矗立在自己面前的，是一匹人马一样的巨大怪兽，他的双臂和背部，长满了巨大的仿佛翅膀一样的剑刃，每一根羽毛，都是锐利坚硬的刀锋，无数刀刃彼此摩擦、旋转，哗啦啦地发出金属的蜂鸣，巨大的马身，高高地仰起它的前蹄，它的马尾不是无数的鬃毛，而是一根仿佛鱼骨般一节一节的巨大鞭子，上面长满了锋利的刀片，随着马尾的甩动，无数参天大树轰然倒下，而在马身之上，是格兰仕健壮的躯体，他的面容狰狞扭曲，身体变得巨大，他的目光含混不清，仿佛阴冷的地狱恶魔般放射着青光，他低沉地嘶吼着，巨大的魂力咆哮翻滚，随着每一声嘶吼，扩散出震碎一切的力量。

银尘的胸口被这样的嘶吼震得如同千钧重压，大口大口地吐着血。

而远处，特蕾娅脸色苍白，她浑身的纱裙已经肆意翻滚扩张到了极限，但是，却完全抵挡不住【暗化】后的格兰仕的一次次简单的攻击，直接而又迅速，没有任何的技巧，没有任何的元素驾驭，仅仅就是单纯的物理性的一击，特蕾娅就仿佛一只断线的风筝一样，从空中高高地抛出去，在半空里洒下无数的鲜血。

银尘无法相信自己的眼睛，那个攻击太迅速、太强烈，已经超越了人类速度和力量的极限，所以，就算特蕾娅提前预知到了，她也来不及躲开。

银尘看着面前的格兰仕，心如刀割，他的眼泪滚滚地漫出眼眶，他用尽自己最后的力气大声地嘶吼着："格兰仕！你快恢复正常状态啊！再不恢复过来，你就被【黑暗】吞噬了啊！"

格兰仕听见银尘的声音，他转过身，两只巨大的瞳孔放射着恐怖的青光，他挪动着四条兽腿，缓慢而沉重地走过来，巨大的铁蹄仿佛千斤巨石一样，一步一步地砸向大地，每一步都踩出一个坍塌的坑洞，他的身躯此刻有一座小山那么高，参天的大树在他的身边，仿佛低矮的花丛一样，他弯下身体，巨大而狰狞的面容靠近躺在地上的银尘。

银尘看着居高临下俯瞰自己的巨大怪物，泪水流满了他的脸，他哽咽而撕心裂肺地喊着："格兰仕……你听我说……我是银尘，我是银尘！你不要变成怪物……你不要变成怪物！你快回来！你快回来啊！！"

巨大而狰狞的怪兽脸上，此刻依然可以看见格兰仕英俊而野性的轮廓，他的眼眶膨胀了很多倍，高高地隆起，他的两枚瞳孔仿佛两轮巨大的月亮一样。它看着躺在地上渺小的银尘，狰狞的面容突然安静了下来，目光里缓慢地恢复着柔软的光芒，渐渐地，它的瞳孔清晰了起来，狰狞的青光散去，巨大的瞳孔里，是柔软的守护光芒。

银尘看得心都碎了。他伸出手，轻轻地抚摸着它巨大而狰狞的脸，他的手抚摸过它獠牙边光滑的鬃毛，低声说道："求你了，你快变回来……我不要你变成怪物……我知道你听得见……"

它巨大的瞳孔里，缓慢地流出了滚烫的眼泪，泪水沿着它的脸庞流下来，湿润了银尘的整个胳膊，它咧着巨大的嘴，锋利的牙齿颤抖着，像在哭泣。

随后，它身后巨大的双翅环绕过来，像是温柔的拥抱一样，抱紧了银尘。

无数锋利的刀刃哗啦啦地转动着，铿锵作响，银尘的喉咙里充满了黏稠的血浆，这使得他发出的痛苦呻吟模糊而又短促，他的躯体在无数刀刃哗啦啦地切割下，渐渐地变成了碎块，每一条血管每一根筋脉，都被无数温柔拥抱他的旋转刀刃，切割寸断。他的血从身体下面流出来，浸染了一整片草地。

他的意识渐渐消散，他望着离他的脸只有几寸距离的巨大金黄色瞳孔，他看见它滚烫的眼泪仿佛悲痛的大河，滚滚地流淌到自己脸上。

他充满滚烫鲜血的喉咙里，最后的一声模糊的声音是，"我不怪你……"

巨大的轰鸣声，一声，一声，仿佛沉重巨大的鼓点一样，随着巨大的铁蹄，消失在森林深处。锋利而巨大的鞭状马尾，所过之处，森林无声地成片倒塌。怪兽巨大的悲鸣，仿佛胸中无法诉说的悲痛，消失在月光的远处。

凄冷的月色下，银尘的尸体躺在湖边，鲜血顺着湖岸，流进碧绿的湖泊。

第十九章

猎神闪光

吉尔伽美什面前的地上，
一枚精致的冰雪雕刻而成的莲花
静静地绽放在满地的血浆里，
通体剔透，
仿佛水晶般萦绕着星辰的光芒，
这是漆拉刚刚随手种下的棋子。

【四年前】
【西之亚斯蓝帝国 · 深渊回廊 · 北之森】

吉尔伽美什面前的地上，一枚精致的冰雪雕刻而成的莲花静静地绽放在满地的血浆里，通体剔透，仿佛水晶般萦绕着星辰的光芒，这是漆拉刚刚随手种下的棋子。

“你还挺幽默，”吉尔伽美什揉了揉额头，苦笑着说，“做了一朵【小宽恕】给我当棋子，真是，说不出的感谢啊。”

漆拉尴尬地笑了笑，一脸窘迫的神情，“我无意识地，随手就做了，结果可能下意识里在想着莲花，所以就成了这个样子……”

吉尔伽美什抬起手拂了拂肩膀上的碎雪，朝那枚水晶般的莲花走过去，“我没有回来之前，留在原地，不要对宽恕有任何的挑衅，它现在依然在吸收黄金魂雾的阶段，应该暂时不会发动大规模的攻击。但如果我之后没有回来的话……”吉尔伽美什轻轻地在那枚棋子旁边蹲下来，回过头，抬起他金黄浓密的睫毛笼罩下的眸子，他的笑容迷人而又充满了凌驾一切的尊贵，“你们估计也回不去了。”说完，他伸出手，拾起了那朵冰雪莲花。

空气里一阵轻微的波动，吉尔伽美什的身影就仿佛被风吹散了一般，消失在空气里。

远处，仿佛一座高耸入云的雪山般巨大的宽恕，此刻安静地轻轻摇曳着它巨大的白色花瓣，如同无数翻涌堆积的云片，层层遮蔽了视线的尽头。

刚刚一直昏迷的幽冥，此刻恢复了意识。他挣扎着走到漆拉的身边，望着吉尔伽美什已经消散的身影，他嘴角轻轻地往上一斜，邪气而英俊的笑容像一道黑色的光，“那我就先去‘那边’找她了哦。这里，交给你了。”他身上刚刚被撕裂的无数肌肉，此刻正在快速地愈合，包括胸口上那几个被红色血舌挖出的巨大血洞，现在也已经被新生的粉红色血肉填满，上面的肌肤正在愈合成最初丝缎般的光滑。他之所以能够仅次于吉尔伽美什，占据二度王爵的位置，就在于他除了拥有登峰造极的杀戮力量之外，愈合能力在王爵里也足以高居上位。

漆拉的面容如同山顶万古凝固的寂寞雪线一样，他凝重而缓慢地点了点头，目光里有什么东西翻涌着、挣扎着，但最后还是熄灭下去。他望着吉尔伽美什消失的尽头，眼眶里有些湿漉漉的光芒，仿佛春天阳光照射下，森林里积雪刚刚融化出的波光粼粼的溪涧。

【四年前】
【西之亚斯蓝帝国 · 雾隐绿岛】

破晓的曙光从浓厚的白云背后刺破而出，清澈的光束均匀地抚摸着雾隐绿岛上终年不散的绿色水汽。仿佛温玉般连绵不断的绿色树荫，衬托着沉睡翡翠般的湖光，整个天地都仿佛笼罩在这样的绿色光晕之下。

幽冥的脚步声很轻，他像一个不惧怕阳光的地狱鬼魂一样，裹着他的黑色长袍，一步一步走进这个亚斯蓝领域上，被所有人视为圣地而不敢轻越雷池的地方。因为他知道，这个地方的主人，甚至是随从，在这个黎明之后，都将不复存在，或者说，现在就已经不复存在了。他清楚特蕾娅的实力。

草坪上的露水将幽冥的靴子打湿了。他一路走过来，享受着笼罩整个天地的庞大寂静，就如同地狱的亡魂享受着地狱里永恒的黑暗死寂一样，嘴角那丝若有若无的笑意，仿佛一道明媚的疤痕，装点在他英俊而肆虐的面容上。

但是，当他看见躺在草地上的特蕾娅的时候，他的笑容一点儿一点儿消失了。

巨大的草坪上，是无数条仿佛被巨刃劈开的千沟万壑，草坪上像是被砍开的血肉一样翻出一条一条黑色土壤的裂缝，远处的一块草坪上清晰而骇然地留着两块黑色烧焦的痕迹，空气里依然残留着某种东西燃烧后留下的焦灼气味。特蕾娅半躺着靠在一块石头上，脸色苍白得仿佛一块冰，她的瞳孔里是难以压抑的痛苦。花瓣般娇嫩的嘴唇，此刻微微张开着，忍不住大口大口地呼吸。仔细看就会发现，她身上雪白的纱裙已经被凝固的血液染红，身躯上被划出了无数条刀口，大部分正在缓慢而艰难地愈合着，还有一小部分保留着最初的创痕深度，每一刀都能看见血肉深处森然的白骨。

而不远处的湖边，躺着银尘冰冷僵硬的尸体。其实已经看不出是谁了，整个尸体在寒冷的清晨露水里，已经硬得像一块石头，身体已经四分五裂了，包括面容上，也已经被无数条刀痕弄得面目全非。整个尸体如同被绞碎了的一堆尸块，错乱地堆在湖边。

"那是哪个使徒？"幽冥皱着眉头，抬起手掩了掩鼻子，问道。

"天之使徒，银尘。"特蕾娅勉强提高了点儿音量，回答着幽冥。

"死得这么恶心，你下手挺狠的嘛。"幽冥的嘴角又露出那种仿佛对世间一切都不屑一顾的笑容，轻蔑却又充满着致命的吸引力。

"我还没这个能耐。杀他的是地之使徒格兰仕。"特蕾娅闭上眼睛，加速着身体的恢复。

"哦？内战了？有意思啊。"幽冥呵呵地笑着，一边说，一边走到特蕾娅身边蹲下来，伸手握起特蕾娅的右手，将她雪白而纤细的手掌，轻轻地放到自己赤裸而结实的胸膛上，"别客气。"

特蕾娅咽了一口嘴里残留的淤血，闭上双眼，手指尖引动出几丝金色的光芒，接着，仿佛大海般汹涌澎湃的魂力源源不断地从她的手臂流进身体，全身翻开的刀口，哗啦啦地高速愈合着。幽冥的脸色渐渐变得苍白，他看着特蕾娅苍白的面容渐渐地浮现出血色，脸上的笑容邪气如旧，这让他看起来有一种孱弱的感觉。但谁都知道，他是亚斯蓝的杀戮恶魔，"孱弱"这样的字眼，永远都和他没有关系。他代表的，是永恒的杀戮和血腥。

特蕾娅放下手指，轻轻地站起来，经过了一晚上的愈合，再加上刚刚幽冥传递过来的巨大魂力，她已经恢复得差不多了。她身上的魂器，女神的裙摆如同雾气般翻涌旋转着，然后化成光缕，倏忽几声，回到她的身体里。她又恢复了她一身黑色袍子的性感模样。

她和幽冥站在银尘的尸体旁边，她说："格兰仕在和我战斗的时候，不惜使用了黑暗状态，但你也知道，就连作为四度王爵的我，天赋就是对魂力的精准感知和应用，我都没办法百分之百保证可以熟练地驾驭这种挑战魂术师极限的禁忌魂术，他一个小小的使徒，才多大年纪，就这么自不量力……真令人费解。"她的面容艳丽但是冷峻，没有了平时看起来的轻佻和媚态。

"作为一度王爵的使徒，他们的实力早就等于低位的王爵了吧，他们身上有太多我们不知道的秘密了，正因为如此，他才敢去碰黑暗状态吧。不过他们太低估这个禁忌魂术的力量和代价了。"幽冥看着银尘的尸体，若有所思。

“他们的秘密太多了。不过至少我知道了一个，他们的天赋。”特蕾娅咬着牙，缓慢地说道。

“是什么？”幽冥转过头来，脸上少了玩世不恭的不羁，换成了一副凝重的表情。

“四象极限。”特蕾娅一字一句地说道。

幽冥看着特蕾娅，没有说话，过了半晌，他转身沉默着朝远处走去，“那他们真的该死！”

【四年前】
【西之亚斯蓝帝国 · 深渊回廊 · 北之森】

吉尔伽美什从空气里显影出来，棋子已经将他从远处直接越过了庞大得如同山脉般的宽恕，来到了更靠近北之森边缘的北边，准确地说，应该是更靠近了此刻还没有明显宣战的亚斯蓝魂兽的巅峰——自由。

吉尔伽美什看了看自己身边的山壁上，一朵新的冰晶莲花悄然绽放在那里。显然，是漆拉在自己刚刚从那边传递过来的瞬间里，也和自己一起瞬移了过来，并且在自己显影之前，为自己制作了一个回去的棋子，然后又返回了刚刚的地方。吉尔伽美什微微地笑了笑，他一点儿都不惊讶于漆拉的速度。他太了解漆拉了。这个这些年一直和他交手的男人，这个长着一张比女人都还要俊美的面孔，却有着接近极限速度的男人。只有自己，才清楚漆拉的实力，虽然排名仅仅是在三度而已，但是，如果真要打起来，一度的自己和二度的幽冥，绝对头痛。不过，对于幽冥的实力，吉尔伽美什也不了解。可能自己在雾隐绿岛隐居太久了，和银尘、东赫、格兰仕三个人整天过着隐士一般的生活，已经对这个国度上崭新崛起的王爵们不了解了。比如现在的二度王爵幽冥，和现在的四度王爵特蕾娅，自己都不熟悉，只是简单地知道些关于他们俩的事情。

吉尔伽美什慢慢地朝前面走去，他的笑容依然温暖如同春日里带着彩虹光晕的日光，脚步缓慢，镇定自若，仿佛在花园里散步般悠闲，但其实，在一步一步的前进中，吉尔伽美什已经开始一边调整着自己的身体姿势，一边调动起自己的魂力了。因为他已经在空气里捕捉到了前方传来的若隐若现的魂力。

那是来自几乎接近沉睡状态的自由的魂力，并且很明显是刻意隐藏之下的魂力，可能除了特蕾娅之外，一般的王爵都无法感知得到。但是，吉尔伽美什微笑着，皱了皱眉毛，有点儿苦笑着，仿佛自言自语一般，“这下可麻烦大了。”

因为，吉尔伽美什捕捉到的那几丝仿佛空气里飘动着的蛛丝般微弱难寻的魂力，其精纯度完全超越了他的想象，仿佛最纯净的液态黄金丝一般，流动在空气里。如果自由全面觉醒的话……

想到这里，吉尔伽美什迈出去的一只脚突然停在了空气里，他像是突然静止凝固了一样，一只脚悬在空中，迟迟不肯踏下去。

此刻，他脚下的土壤里，轻轻地，仿佛破土嫩芽般温柔地，开出了一小束一小束的冰花，缓慢而轻盈地，在他的面前凝结出一条银白闪亮的线来。

他明白，这是自由的警告——

“越过冰线者死。”

吉尔伽美什收回悬在空中的脚，站在原地不动，停在冰线的后面。他身处的地方，背后是狭窄的峡谷，往前仿佛是走入壶口、深入谷腹般越来越宽广，前方豁然开朗，一望无际的旷野，无数参天的大树高耸入云，高大的云杉、红松、冷松……一株一株地拔地而起，厚厚的积雪一团一团地堆积在森林中，空气里弥漫着一种沉重的静谧，偶尔有零星的雪片，带着光晕从天空的树冠上飘落下来，仿佛羽毛般缓慢地飞舞在树与树的间隙。

吉尔伽美什微笑着，轻轻地弯腰鞠了一躬，他抬起头，目光望着森林深处，嘴角的笑意仿佛一片溪面上即将融化的薄冰，若有若无，他突然瞳孔一紧，身上的金色刻纹浮现出来，然后又一闪即逝，一缕同样不易察觉的魂力，从他的身上扩散出来，仿佛涟漪般朝森林的深处扩散开去。这同样是一股仿佛液态黄金般精纯的魂力，来自这个国度里王爵的巅峰。吉尔伽美什心里清楚，作为两股几乎同等级对峙的魂力，稍有不慎，就会是一场摧毁半个王国的灾难。他安静地站在原地，不卑不亢地等待着，他维持着礼貌的姿势，同时身上的王者霸气依然如同光环般笼罩着他。他散发出的这股魂力，类似于对自由的一种邀请，或者一种实力的证明。他用一种礼貌但同时毫不畏惧的方式，向自由表达了自己的意思，“我不来宣战，但是，如果宣战的话，我也不会畏惧，你可以根据我的魂力，来判断是否与我对战。”

时间在这样近乎凝滞的对峙里流逝着，吉尔伽美什仿佛站立在光线里的一座雕塑，一动不动，除了偶尔风吹动他金黄的发丝，他整个人像是静止在时间之外。

“嗡——”

“嗡——”

空气里轻轻地、缓慢地传来几声仿佛蜻蜓振翅般微弱的弦音。

终于来了。

吉尔伽美什抬起他低垂的眼眸，金黄色的睫毛在光线里闪烁出羽毛般的柔软质感，他的笑意温柔而高贵。

他看着前面，朝自己缓慢走来的亚斯蓝第一魂兽——自由。

它停在离自己几米开外的一株横倒下来的巨大红松树干上，天空垂直而下的几束光线，在它小小的身躯上，投出几个游弋的光斑，它全身雪白如同银丝般的皮毛，衬着周围洁白的积雪，看起来纯净得没有一丝杂质。

这只小巧而又温柔的猫，此刻正趴在褐色的粗大树干上，用它温驯而乖巧的冰蓝色眸子轻轻地望着吉尔伽美什。

过了一会儿，它伸了个懒腰般站起来，用极其轻盈的步子，仿佛一个白色的精灵般缓慢地朝吉尔伽美什一步一步地走过来。它一直定定地望着吉尔伽美什，目光湿漉漉的，大大的冰蓝色眸子看起来温驯甜美，仿佛一个淘气的宠物，正在冲自己的主人撒娇。

但是，吉尔伽美什知道，在它一步一步朝自己走近的过程里，它一直都在衡量着他的魂力水平，不过，对彼此而言，他们的魂力都像是深不见底的汪洋，所以，自由一步一步地靠近，但是也没有任何行动。

吉尔伽美什依然微笑着，低下头目光温柔地看着朝自己脚边走过来的自由。

当它停留在吉尔伽美什脚边的时候，整个天地间的空气都仿佛凝固了一样。此刻的彼此，看起来都温柔安静，但是，平静的表象之下，谁都不知道是多么骇人的滔天巨浪。任何一个细微的变化，都有可能导致一场天崩地裂的魂力爆炸。

终于，在彼此对峙了几乎一分钟之后，自由轻轻地眯起眼睛，仰起它毛茸茸的可爱的小脸，歪过头在吉尔伽美什的脚上蹭了蹭，然后继续朝前面走过去了。吉尔伽美什突然松了口气，他这才发现，自己的额头已经布上了一层细密的汗珠。

他如释重负地笑了，脸上凝重的僵硬微笑，此刻才真正仿佛春天的花瓣般舒展开来。他转过头，准备走回峡谷，既然自由已经选择了不参战，那么自己只需要专心对付宽恕就行了。

但是，当吉尔伽美什转过身的时候，他再也笑不出来了。他的面容仿佛被寒冬的风吹割着一样，呈现着一种冻结的死灰色。

因为，前方离自己不远处的自由，此刻正站在返程棋子的那朵冰雕莲花旁边。它转过身来看着吉尔伽美什，大大的冰蓝色眼眸，此刻已经全部变为了金黄色。它瞳孔里一道金光轻轻一闪，下一刻，它身后峡谷的地面上，一道数米厚的冰墙，仿佛一座小山一般从地面轰然爆炸而出，瞬间耸立入云，把整个峡谷的入口完全封死，也同时，把那朵脆弱的棋子，隔绝在了冰墙的另外一边。

自由回过头来，温柔的眼神依然乖巧温驯，它张开嘴，仿佛撒娇一般轻轻地“喵”了一声，空气里几道快得几乎看不见的透明扭曲一闪而过。

远处，吉尔伽美什的身躯被一股看不见的力量高高抛起，朝着森林深处重重地摔落而去，凌空洒下几股滚烫的鲜血，落在雪地上，发出“吱吱”的声音，触目惊心的红。

自由舔了舔自己的爪子，轻盈地朝他走过去。

【四年前】
【西之亚斯蓝帝国 · 雾隐绿岛】

日光下的雾隐绿岛，雾气渐渐散去。

光线赤裸而暴烈地垂直照耀在草坪上，湖面上，四处蒸腾的热度，让这个冬日仿佛夏天般炽热。

草坪上一道一道仿佛刀疤般的土壤裂缝，证明着这里曾经发生过的刀光剑影。

而现在，仿佛人去楼空般，整个群岛空无一人，让人快要发疯的绝对死寂，笼罩在湖面的上空。遥远群岛深处偶尔传来的一声尖锐的鸟鸣撕破天空，仿佛划破锦缎的匕首，让这种恐怖的寂静更加摄人心魄。

银尘破碎的尸体，依然无人理睬地停留在湖边，湖泊里那一块被他的鲜血染红的区域，这时也已经扩散开去，湖面恢复了碧波荡漾的绿意盎然。

一两只苍蝇嗡嗡地围绕在他的尸体旁边。

空旷的天地间，一阵轻微的脚步声带着回音响起。

草坪上，一双镶嵌着白银装饰的白色靴子，此刻正一步一步地走向银尘冰冷的尸体。

明媚的阳光照在来人的脸上，英俊得让人窒息的面孔，精致的下巴上一层若隐若现的青色的胡楂，笼罩在金色羽毛般浓密睫毛下的琥珀般的双眼，此刻安静地看着躺在地上的破碎的银尘。无边无际的绿树的绿影，将柔和而温润的光芒投射到他高大而修长的身躯上，银白色的长袍，装饰着无数精致而昂贵的白银镶边。风吹起他的披风，仿佛一片缓慢浮动的云彩一样，充满了让人目眩神迷的美。

他抬起手，修长而白皙的手指动了动，银尘的尸体瞬间被一层剔透的冰块包裹起来，他抬起头，环顾了一下此刻周围死寂的绿岛，剔透的阳光抚摸着他英俊而尊贵的面容。

冰帝，这个国度皇族中最尊贵的至高无上的男人，艾欧斯，他带着银尘的尸体，消失在了茫茫绿色的尽头。

【四年前】

【西之亚斯蓝帝国·深渊回廊·北之森】

远处传来巨大而沉闷的嘶吼声，一直都没有停止过，而且，随着时间一点儿一点儿过去，伴随着这种嘶吼，宽恕正在以越来越快的速度觉醒着。

漆拉忧心忡忡地望着远处仿佛一座小山般高耸入云的巨大莲花，瞳孔仿佛黑夜般寂然而又绝望。他知道，按照这样的状态来看，过不了多久，宽恕就会完全觉醒，方圆一公里之内的黄金魂雾，持续不断地被消耗着，源源不断地会聚到宽恕的体内，一点儿一点儿，朝着完全苏醒的边缘迈近。

而远方的吉尔伽美什，漆拉感觉不到他任何的魂力波动。又或者，因为他的魂力此刻被面前如同汪洋般翻滚着的宽恕的魂力阻挡着，无法感应。漆拉抬起头，苍茫的天空上，不时有一条赤红色的血舌，仿佛红色的闪电般劈开天空的云朵。整个大地传来越来越明显而剧烈的震动。

身后的伊莲娜和费雷尔，依然靠着残余的树桩，喘息着，身上的伤痕恢复得越来越慢，因为周围可供他们吸收的黄金魂雾越来越少，大量的黄金魂雾仿佛被黑洞吸纳着，源源不断地朝远处正在觉醒的宽恕流动而去。周围的空气里，残留的黄金魂雾格外稀薄，伊莲娜和费雷尔的脸，依然如同白纸般虚弱。

两股破空而来的疾风，将漆拉黑色的长袍掀得猎猎作响，他回过头，四处翻涌的气流里，两个黑色幽灵般的身影，轻盈地站立在茫茫的大雪里。

特蕾娅和幽冥的脸上，依然是那种似笑非笑的表情，充满着对人间的嘲弄和不屑。特蕾娅翻飞的长袍下，雪白的大腿衬着周围的雪景，显得格外诱人。她饱满而鲜艳的嘴唇，此刻欲言又止地轻轻开合着，她用一种暧昧的姿势轻靠着高大健壮的幽冥，幽冥的长袍被风吹得大开，赤裸而饱满的胸膛，此刻仿佛散发着热量一般，在雪地里闪动着小麦色充满性欲的光芒。

漆拉回头看了看虚弱无力的伊莲娜和费雷尔，又看了看面前仿佛出鞘的黑色宝剑般的他们俩，没有说话。

他并不惊讶，对于这两个怪物的实力，早在几年前他们俩还是小孩子的时候，他就已经见识过了。当年从特蕾娅体内不断穿刺而出的如同昆虫肢体般的巨大刀刃，和幽冥脸上如同来自地狱的迷幻快感，一直都是漆拉心里的一个凝重的梦魇。

“他回来了么？”特蕾娅冲漆拉笑着，艳丽动人。

“还没。”漆拉没有表情，淡然地回答她。

虽然两个人都没有挑明，但是彼此心里都知道，此刻他们口中唯一谈论的、关心的那个“他”，只有一个人，那就是吉尔伽美什。

“也对，从来没听说过有人能从自由的手下活着回来，一个不知道活了几千年还是几万年的怪物，干吗要去惹啊……”特蕾娅笑盈盈地，抬起纤细的手指掩住她鲜艳的嘴唇，“我看啊，西流尔可能要白等一场了。”

漆拉没有接话，他沉默了一下，问：“那三个使徒呢？”

“两个死了，一个使用黑暗状态之后没有恢复过来，变成了饕餮，这会儿可不知道去哪儿了……可惜啊，那么英俊的一个小伙子，长得可不比你差，就这么变成了畜生……唉。”特蕾娅摇着头，仿佛非常惋惜。

“你！”漆拉浑身的金色刻纹瞬间爆炸翻涌，一阵金色光芒从他的身上炸开，他的脸涨得通红，俊美的面容被愤怒扭曲得骇人。

特蕾娅突然身形一动，仿佛幽灵一闪，人影突然就出现在了漆拉的跟前，她身上的金色刻纹也瞬间爆炸翻涌，金光四射，仿佛她脚下的大地突然裂开缝隙，飓风从地表翻涌而出，将她的长袍和头发吹得朝上猎猎翻滚，“我？我怎么了！”她脸上不再是娇滴滴的微笑，而是一种来自地狱的阴冷。“人不是我杀的！你冲我吼什么吼……还是说，你想和他一起去西流尔那里住个十天半月的？”

漆拉的嘴唇颤抖着，他控制着自己，过了一会儿，他的面容恢复了原始的冷漠，仿佛一面凝结的湖泊般，看不出任何情绪波动。他转过身，不再看特蕾娅和幽冥。他静静地凝望着远处，仿佛在等待一个最终的审判。

特蕾娅脸上再一次露出了胜利的表情，多年前，当她和幽冥从漆拉手里将一度王爵的称号抢过来的时候，她就已经享受过漆拉脸上那种敢怒不敢言的隐忍表情所带来的快感。而多少年之后，再一次看见压抑着自己情绪的漆拉，她依然觉得充满享受。她抬起动人的蒙眬双瞳，幽幽地说：“哎，看来漆拉还是对吉尔伽美什念念不忘呢。如果等下他突然改变主意，那我们俩有的好忙了。”

“怕什么？白银祭司不是说了么，任何人不配合，都可以随时采取任何行动，而不需要提前请示。”幽冥突然冷冷地接了一句，嘴角依然是似有似无的笑意，“你别忘记我的称号，可是杀戮王爵。”

漆拉背对着两人，沉默不语地看着天地尽头，仿佛完全没有听到他们的对话一般。

日光渐渐地移动着，变化着角度，周围的积雪反射着刺眼的亮光。

几个王爵在雪地里安静地等待着，时间不断地流逝，也许是周围的黄金魂雾已经消耗干净了，宽恕的觉醒速度开始减慢，但是，仍然一点儿一点儿地逼近完全觉醒的边缘。

幽冥和特蕾娅依然仿佛两个黑色的幽灵般站在雪地里。他们和漆拉一样，凝望着宽恕远处的方向。

一直到光线开始转暗的黄昏，天空再次飘起了雪。一点儿一点儿带着模糊光晕的雪花，从天空密密麻麻地坠落下来，几个王爵身上、头发上，都落满了白茫茫的一层。但没有人在乎这些，他们都静止而沉默地矗立在风雪里，在等待着一个生死存亡的答案。

他们等待着，即将从远处走向他们的，吉尔伽美什，或者自由。两者之间，只有一个可以活着过来。

而终于，他们等来了。

空旷的雪地上，他高贵的笑容依然挂在嘴边，虽然唇边一缕还未干透的血迹，衬托着他虚弱的面容。但是他的神色依然高贵而光芒万丈，他的金色头发在风里飞扬着，仿佛一面黄金的旗帜。

他冲着漆拉轻轻扬了扬下巴，低声笑着说：“我回来了。”

他的身影微微地摇晃着，有点儿站不稳。他的左手紧紧抓着一只断了的手臂，右肩膀上齐肩断掉的一个碗口大小的伤口，此刻血液汩汩地涌动着。

“运气不错，”他有点儿疲惫地笑着，“把我的手捡回来了。”

他把断臂接回肩膀上，轻轻地闭上眼，全身微微地放射出一圈隐隐的金色光芒。断口处的骨骼和血肉，开始缓慢但持续地咔嚓咔嚓地愈合起来。

“你没事吧？”漆拉走过去，伸出手，抚在他的肩膀上，纯正的金黄色魂力汩汩地流进吉尔伽美什的身体。

“你干吗呢？”远处，特蕾娅笑盈盈地突然冲漆拉喊了一声，目光里充满了复杂的神色。

“帮他愈合。”漆拉回过头，用“你有意见么”的表情，冷冷地看着特蕾娅，特蕾娅想要制止，但是却不知道该说什么，只能咬牙切齿地站在边上冷眼看着这一切。

“只可惜啊……我这点儿魂力，对他来说根本微不足道，”漆拉站起来，看着特蕾娅，“你根本不清楚他的魂力到底有多大。”

“呵呵，看你说的，”特蕾娅掩着嘴，哧哧地笑着，眸子里是寒光四射的雪点，“我怎么会不知道，你说笑话呢？你忘记我的天赋是什么了啊？”

“如果吉尔伽美什不赶快恢复过来的话，我们可能都会死，”漆拉冷冷地看着特蕾娅，“既然你的天赋那么厉害，难道你感应不出来，宽恕已经完全觉醒了么？”

“我当然感觉得出来，我连它每一根血舌分别是什么时候觉醒的都能感觉得出来，只是周围的黄金魂雾已经消耗得差不多了，它应该没那么快彻底苏醒过来的，”特蕾娅娇羞地笑着，脸上的表情让人不寒而栗，“再说了，这儿不是有你在么，你只要做出棋子，我们随时都能走，怎么会死，对吧？”她用挑衅而诱惑的目光，望着漆拉。她的身边，幽冥依然是一副幸灾乐祸的嘲讽表情，面容上邪气而不羁的笑容在暮色里充满着杀戮的气息。

“难道你想一走了之么？那觉醒了的宽恕怎么办？周围几个城市的平民怎么办？”漆拉看着特蕾娅，目光像结了冰一样。

特蕾娅拍了拍胸口，脸上是害怕的表情，她笑着，“哎呀，你问我干吗呀，我只是个四度王爵，我怎么知道。这里全亚斯蓝的前三度王爵都在，我算什么？我只能跟着你们三巨头走呀。”

说完特蕾娅抬起手，掩住嘴角呵呵地笑着。她身边，阴森而邪气的幽冥，同样嘴角掩藏着一个神秘的笑意。

她的话音刚落，脸上还停留着她那独特而诡异的笑容，然而瞬间，她瞳孔里的光芒仿佛被吹熄的蜡烛般，忽地熄灭了下去。

苍茫混沌的黄昏暮色，在一个瞬间突然漆黑一片。

“觉……觉醒了？”特蕾娅感觉心脏瞬间被恐惧撕成了碎片。她抬起头，远处的天空，此刻不知道被什么东西遮挡着，完全黑压压的一片，没有月光，没有星光，仿佛几百米厚重的沉甸甸的乌云把整个天地包裹了起来。

黑暗在周围仿佛潮水般汹涌地弥漫开来，一刹那吞没了天地间所有的光线。

空气里是仿佛金属摩擦般刺耳的声音，一阵一阵铿锵作响，胸口被这样巨大的声音撞击着，仿佛沉重的铁锤一下一下地把胸腔砸得气血翻涌。伊莲娜瞳孔涣散，嘴里仿佛涌泉一般汩汩地往外冒出鲜血。费雷尔在雪地里挣扎着，捂着耳朵，痛不欲生，他的喉咙里发出类似野兽的嘶吼和呻吟，仿佛正被恶魔的利爪一片一片地撕扯着。

那朵傲然耸立在天边仿佛雪山般巨大的莲花，终于缓慢而沉重地、一片一片地打开了它的花瓣。

从宽恕的花心中间，仿佛雪山顶上突然爆炸了一个火山洞口，无数赤红的血舌，如同岩浆一般，顺着巨大的花瓣，密密麻麻地涌动而出。

脚下的大地仿佛剧烈地震一般左右摇晃，咔嚓咔嚓的分裂声里，一道一道深不见底的峡谷裂缝在地表上爆裂开来，如同无数怪兽从地底裂开的血盆大口，整块土地分崩离析，四处坍塌。

突然，整个大地一声巨响，成千上万根巨大的血舌从大地深处暴射而出，伊莲娜还没来得及反应过来，就突然被几根狂暴的血舌疯狂地插进了身体，然后在下一个瞬间，她的身躯仿佛一张纸一样，被撕扯成了碎片，无数的肠子、内脏、断肢以及头颅，都化为四散纷飞的碎块，哗啦啦地坠落在雪地上，冒出腾腾热气。

费雷尔刚要挣扎着起来，脚下两根血舌突然破土而出，仿佛巨蟒般将他的身躯层层裹紧，然后用力朝着地下一拉，大地突然裂开的一条缝隙，瞬间将他吞噬了。而后，地缝再次合拢，巨大的压力之下，他坚不可摧的白银铠甲和他残破的肉身，片刻间都化成了一摊淤血和废铁。他的惨叫声仿佛匕首一样划在每一个人的耳膜上。

吉尔伽美什突然回过头看向漆拉，他还没来得及出声提醒，一根仿佛闪电般的红舌，哗啦啦地刺进了漆拉的后背，吉尔伽美什甚至听见了血肉被洞穿的混沌声响。然而，有着接近极限速度的漆拉，在最后一个瞬间，身形一动，消失在了空气里，随后突然在空气里显形，重重地摔倒在几米开外的地上，他后背上一个血洞，正在汩汩地冒血。漆拉面如白纸，大口地喘着气。

特蕾娅双眼里翻滚着暴虐的白色风雪，她将自己对魂力的感知提升到了极限，但是，袭击而来的血舌实在太多太多，成千上万的魂力纠缠在一起，她也仅仅只能在狂风暴雨般的袭击里，勉强地闪躲着，肩膀和后背，好几次，都好险刚好避过，被血舌上的倒刺刮下大片的皮肉，鲜血淋湿她的裙袍。她同时还在牵引着幽冥，帮助他躲避进攻，而幽冥也围绕在她的身边，帮她抵挡着攻击。幽冥冲特蕾娅大声喊着："用你的女神的裙摆！"

"没用的，我试过了！宽恕的魂力实在是太大了，远远超过了女神的裙摆的防御力，守护的作用几乎为零，能减弱百分之十的攻击就不错了。"特蕾娅拉扯着幽冥，在漫天漫地的疯狂血舌里躲闪着，"你的死灵镜面呢？"

"你别开玩笑了，死灵镜面只能投影出低于自己魂力的敌人，你觉得我的魂力可能比宽恕还高么？"幽冥一把扯出一根扎进自己肩膀的血舌，朝地上一扔，然后回过头，望着吉尔伽美什，他在天崩地裂的巨响里，冲着吉尔伽美什大声呼喊着："想想办法！"

吉尔伽美什仿佛帝王般的面容上，笼罩着死气沉沉的杀气。

他的脚边突然爆炸出一条血舌，笔直地朝他刺过去。

他头也没回，反身伸出一只手，仿佛在花园里摘一朵玫瑰一样，不疾不徐地轻轻一握，闪电般迅捷的血舌就被他抓在手里，他修长的五指用力一握，瞬间，巨大的血舌爆炸成了空气里四散飞扬的红色粉末。

他突然身形展动，全身的长袍如同巨大的羽翼般飞扬起来，他朝天空高高地一跃，如同一颗突然蹿起的流星一样，高高地飞上了天际，就像一个光芒万丈的天神一样，停在半空中。

“他……他会飞？”幽冥瞳孔里放射出恐惧和惊讶的光芒。“他怎么可能不凭借任何的魂器和魂兽，就悬浮在半空里？”

“他全身上下都围绕着一股一股的气旋，”特蕾娅咬着牙，缓慢地说道，“那是他天赋里，对风元素的操纵，对于所有的风爵来说，飞翔，是再简单不过的事情了。就像我们水爵操纵水一样简单。”

天地间不知道从什么地方传来了巨大的梵音，一声一声越来越壮丽辽阔，巨大的梵乐如同天神庭院里的旋律。吉尔伽美什的后背，仿佛突然被劈开一样，绽放出几片狭长的金光，金光旋转着，不断扩大。终于，一圈巨大的圆盘光轮，出现在了吉尔伽美什的背后，他仿佛带着光环的天神，高高地悬浮在天空之上。

金光四射的庞大光轮在天空里缓慢而沉重地转动着，光轮上按照时钟的方位，插着一圈宝剑，十二把剑身颜色都不同，每一把剑的形状也不一样，上面的花纹繁复而古老，散发着如同遗迹般的神秘。

“怎……怎么可能……”幽冥看着天空中的吉尔伽美什，说不出话来，他难以形容自己内心的震撼，“他的魂器竟然……竟然是审判之轮……他怎么可能会有这个东西……他究竟是什么……他究竟是什么……”

天地间翻涌爆炸的魂力，如同无数道雷电，在空气里爆炸。

吉尔伽美什高高地悬浮在半空里，他身后旋转的巨大光轮，绽放着万丈金光。十二把巨大的上古大剑，已经从光轮上脱离出去，此刻正在天空里肆意飞舞，交错斩杀着源源不断的血蟒赤舌，一时间，天空里密密麻麻地坠下无数被斩杀成寸断的赤红色残肢断截。

“特蕾娅！告诉我宽恕的魂印在什么地方！”吉尔伽美什在天空里，大声地朝地面吼道。

特蕾娅一面吃力地躲避着无数血舌的进攻，一面咬紧牙关，不发一言，她抬起头看向幽冥，仿佛在犹豫，征求幽冥的意见。

“你们是不是想死在这里！”吉尔伽美什低下头，目光如炬，脸上带着天神般的怒意。

幽冥冲过来，伸手拉起特蕾娅，突然往天空里高高跃起，他一边朝天空疾速地掠去，一边回过头，冲地面的漆拉喊：“漆拉，我需要你的阵，宽恕的速度太快，我和特蕾娅没办法让它的魂印显形。”

“没有用的。”漆拉吐掉口中的鲜血，“我的阵最多只能减弱它百分之十的速度，它的速度实在是太快了。”

“那也比没有强。”幽冥在空中用双手划出密密麻麻的冰刃，粉碎着迎面而来的血舌，“快点儿动手！”

漆拉站起身来，双眼一闭，漆黑的长袍翻滚不息，半空里，一个金黄色的刻纹旋转着飞快扩大。金黄色的刻纹朝着宽恕庞大的身躯笼罩而去，然而宽恕的形体实在是太大了，如同一座山脉，金黄色的刻纹只能覆盖到它身体的部分。

“再大一点儿！”吉尔伽美什对漆拉说，“现在的范围太小了。”

“没办法再大了，”漆拉一面勉强地躲避着地面源源不断的血舌的攻击，一面说，“再大我的魂力就维持不住这个阵了。天空上水元素太少，我就算勉强可以制作出来，但是也不能像在海面上可以无限制地扩大。你们赶快吧，现在的这个阵的范围，我也维持不了多久的。”

“那就这样吧！幽冥、特蕾娅，快！”吉尔伽美什双手一张，十二把巨剑纷纷从天空返回，如同十二只巨大的神鸟，围绕成一个圆圈，疾速飞翔，将特蕾娅和幽冥保护在中心。

特蕾娅的瞳孔瞬间风雪翻涌，全身的魂力如同密密麻麻的蜘蛛丝一样撒向宽恕，疯狂地寻找着它的魂印所在，“找到了！”特蕾娅睁开眼，身上瞬间爆炸出一条白色的丝绸，笔直地朝着宽恕身体上一个位置飘去，冲幽冥喊，“现在！”

幽冥突然双臂扩展，身体朝后弯曲，他脸上那种迷幻而疯狂的表情瞬间浮现出来，一个金黄色的魂印，在幽冥的怒吼声里，清晰地从宽恕底部的一片花瓣上呈现出来，仿佛一个巨大的光源，闪闪发光。

“好！”吉尔伽美什突然一声大吼，十二把巨剑如同游走的飞鱼一样，闪电般一把接一把地刺进被召唤出的魂印深处，每刺进一把巨剑，天空里就瞬间闪过颜色不同的光芒，红、橙、蓝、绿……整个庞大的天地仿佛不断劈开颜色各异的闪电，天空里密密麻麻的血舌瞬间疯狂地疾速往花心里收缩，成千上万层花瓣瞬间合拢，掀起排山倒海的巨浪。

宽恕发出一声巨大而惨烈的叫声来。

瞬间，一阵凛冽的气浪在天空里爆炸开来。幽冥和特蕾娅被这股气浪掀得瞬间失去了知觉，全身被气流划出无数条刀口，鲜血仿佛雨水般从天空里喷洒下来，他们两个如同两块石头般朝地面坠落。

吉尔伽美什心里默念：“就是现在了！来吧！”

滔天翻滚的气浪，仿佛世界末日般的黑暗。

漆拉看着空中的吉尔伽美什，眼眶里滚出混合着血液的滚烫泪水来。

第二十章

零尘诀

蔚蓝色的大海一望无垠。
冬日的海面晃动着一层淡淡的冷清。
寒冷的气温里，
飞鸟也都待在崖壁的石穴里，
瑟瑟地挤在一起。
海面上零星地漂动着几块碎冰。

【西之亚斯蓝帝国 · 雷恩海域】

蔚蓝色的大海一望无垠。冬日的海面晃动着一层淡淡的冷清。寒冷的气温里，飞鸟也都待在崖壁的石穴里，瑟瑟地挤在一起。海面上零星地漂动着几块碎冰。

银尘睁开眼睛的时候，发现鬼山莲泉早就已经醒了。

她站在悬崖的边缘，风吹动着她的长袍往身后飞扬开来。银尘站起身来，和她打了个招呼。莲泉转过头来，“你休息得还好么？”

“还行。”银尘点点头，“你呢？”

鬼山莲泉没有回答，但其实不用回答，银尘也知道，她一定休息得非常好。因为尽管隔着一定的距离，而且她此刻丝毫没有释放体内的魂力，银尘也能清晰地感觉到，经过一晚上的休息，她体内两种截然不同的灵魂回路已经彻底地融合到了一起，她纤细而轻盈的体内，仿佛困着一个汹涌的大海，时刻都能咆哮而出，将天地吞噬。

“准备好了，我们就出发吧。”鬼山莲泉看着银尘说。

“你昨天说，吉尔伽美什被困在西流尔的那个岛屿下面，可是那里是深海，我们怎么下去？”银尘问。

“本来，我们可以通过雷恩十七神像的那个棋子，直接进入魂塚，可是，我和你都已经去过魂塚了，已经不能再进去了。我之前并没有意识到为什么单单只有这颗棋子是一次性的，而亚斯蓝领域上的其他几颗我知道的棋子，都是可以反复使用的。从现在的情况看来，当初白银祭司作出这个设定来，一定是为了减少别人靠近吉尔伽美什的机会。有可能在我们之前几代的王爵和使徒，他们都能无数次进入魂塚。而且，祝福这样的魂兽，本来就不应该出现在魂塚这样的地方，更何况它位列上古四大魂兽之一，怎么会乖乖地一直待在一个地方呢，现在知道了，那是因为西流尔作为封印，不但囚禁了吉尔伽美什，更是将祝福一起囚禁在了岛屿之下，而无法离开的祝福，自然而然就成为了囚禁吉尔伽美什的另一道枷锁。”

“你能将你的回生锁链射进海底，然后将我们飞快地拉潜下去么？”银尘问。

“可以是可以，”鬼山莲泉说，“但问题在于，以魂塚的深度，要在我们闭气的时间之内到达那个深度，那么我的回生锁链拉扯我们下潜的速度必须非常快，超过一定深度之后，深海里快速变化的水压顷刻间就能让我们七窍流血而死。”

“但我的魂力远远无法控制那么深的水，做出一个通道或者空洞之类的，你能么？”

鬼山莲泉嘴唇抿了抿，沉默了一下，说：“我也不能。”

“那我们怎么去？”银尘看着鬼山莲泉，目光里闪动着无法探知的光芒。

鬼山莲泉转过身，面朝悬崖下面的巨大海面轻轻地招了招手，脚下万丈深渊处，传来一声巨大的闷雷声响，银尘疑惑地走过去，顺着莲泉的目光往下面海域望去，一望无际的黑色海面，此刻正缓慢地高高隆起，随后，一阵巨大的爆炸声响，海银庞然大物般的躯体浮出了水面。

“它带我们去。”

鬼山莲泉说完，从她耳边爵印位置呼啸而出一股白色的光芒，羽翼瞬间四散旋转，闇翅在空气里显影，一声破空的鸣叫，撕裂了大海上清晨的宁静。

“上来吧。”莲泉一跃爬上闇翅的后背，转身冲银尘招了招手。

银尘翻身上去，刚刚坐稳，闇翅发出一声尖锐的鸣叫后，就跃出悬崖，笔直地朝下面的海面俯冲而下。

银尘望着自己前面长发飞舞的鬼山莲泉，这个如今亚斯蓝领域上第一个双身女爵，并且她现在已经拥有了两头魂兽，而且她的魂器回生锁链作为魂兽的容器，至今依然空着，今后的日子，她还能收服一头魂兽供自己驱使。那时，体内拥有四套灵魂回路、三个魂兽的她，实力究竟会强到什么地步，完全没有人知道。

在快要撞到海面的瞬间，闇翅用力扇动着翅膀，快如流星的下坠之势立刻消失，巨大雪白的羽翼上下摆动，悬停在空中。鬼山莲泉和银尘，跳下它宽阔的羽毛后背，站在了岛屿一般大小的海银的头上。银尘低头打量着这头巨大的深海凶兽，它的头上起伏着一道道坚硬的刺棱，前方十步之外的地方，滚动着它巨大的眼珠。鬼山莲泉冲银尘招招手，“跟我来。”

视线里是一片混浊的黑暗。四周闷热的空气里是一股难以形容的腥味，仿佛无数鱼虾腐烂之后散发的气味。银尘坐在黑暗里，表情一派淡然，仿佛没有闻到。

隔着耳朵不远的地方，能听见巨大的洋流闷闷地传来声响，仿佛很遥远的地方流动着的地下暗流。

银尘在黑暗里沉默着，他看不清楚对面的鬼山莲泉在做什么，但他也没有担心。其实答应鬼山莲泉钻进海银的嘴里潜进深海，这件事情换了谁，都会再三考虑，一来这件事情本身危险性就很大，二来海银并不是自己的魂兽，出了任何状况，第一个优先保护的都是它的主人。但是，银尘却对鬼山莲泉有一种没有来由的信任，所以他没有丝毫犹豫，就一低头钻进了那个长满森然白色獠牙的大嘴。此刻，他坐在海银潮湿的口腔里，巨大的空间里有充足的氧气，够他们两个到达深海处的魂塚。

也许鬼山莲泉身上那种仿佛与生俱来的正气，让人感觉她是一个没有阴暗面的人，又或者……为了拯救吉尔伽美什，什么样的危险都不在银尘的考虑范围内吧。

"需要我弄一点儿光线出来么？"银尘对着黑暗里莲泉模糊的轮廓问道。

"好。"

一面悬浮在半空中的小小铜镜，一边发出"嗡——嗡——"的声音，一边从镜面上释放出柔和的光线来。鬼山莲泉的脸在光线里浮现出来，也许是刚刚经历失去哥哥的悲痛，抑或是这几天连续发生的一系列重大变故，她本应是年轻女子如花般娇嫩的面容上，此刻凝固着一种淡然的悲怆，看起来有些疲惫。

"这是一面护心镜，能抵御所有对心脏的致命攻击，无论是来自元素魂术还是钝重的物理硬伤，都能为你'抵一命'，但是也只有一次抵挡的作用，再次攻击就无效了，所以，不是什么了不起的名字，历史上也没有记载。有趣的是，在找到这面护心镜的时候，我发现它一到晚上就会释放柔和的光亮，所以我也经常用它来照明。"银尘看着莲泉脸上微微露出的好奇神色，柔声向她解释道。

"有一个问题想问你。"莲泉看着银尘说。

"你问。"

"之前在西流尔岛屿上的那场大战，我看见过你抛出的魂器，远远超过两种，我是因为和我哥哥有近似的血缘，所以出于这个原因，我能与他共用魂器……但你拥有的魂器，看来似乎数量极其庞大，这是你的……天赋？"幽然的光线里，莲泉脸上的表情虽然平静，但依然可以看出她内心里的警惕。

“嗯。”过了半晌，银尘轻轻地点了点头。

“但是……麒零之前是和我一起在魂塚里取得的魂器，他拿到的是一把……嗯，怎么说呢，我形容不好，但感觉起来不应该是亚斯蓝的东西，一把花纹复古的巨剑。这个是我亲眼见到的，但是在先前的西流尔岛屿大战时，他使用的……似乎是传说中的女神的裙摆？”

“对，那是我的魂器之一。麒零是我的使徒，他的天赋和我是一样的，能够同时使用的魂器，在数量上没有上限。”

“据我所知，女神的裙摆不应该是属于特蕾娅的魂器么？怎么会到你手里？那现在特蕾娅身上穿的那件白色纱裙，又是什么？在岛屿深处的洞穴里，她身上这件裙子几乎要了我的命。”鬼山莲泉看着银尘，目光定定地锁牢在他脸上，问，“那你和特蕾娅又是什么关系？”

【西之亚斯蓝帝国 · 港口城市雷恩】

麒零在驿站苏醒过来，望着空荡荡的房间，心里突然感觉到悲凉。

其实，跟随银尘也并没有多久的时间，现在也只是回到和以前一样，从小到大的自己，都是一个人，也没有亲人，但是此刻，却不知道为什么，心里有个地方，就像是被挖走了一块，如同窗户破了个洞，一直往里面漏风，把整个心都吹冷了。

麒零钻出被子，房间里炉火燃烧了一晚上，此刻只剩下星星点点的余烬燃烧着，整个房间里热烘烘的，木质结构的墙壁散发出厚重的木香。

冬日清晨的风从窗户的缝隙里吹到他赤裸的胸膛上，冰凉的感觉仿佛泉水流过，在闷热慵懒的屋子里，这股凉意让他觉得惬意，同时也渐渐清醒了过来。

少年的成长总是飞快而迅猛的。没隔多长时间，麒零发现自己又长高了，胸膛和手臂的肌肉也越来越结实，不过这多半得归功于那把又大又重的巨剑，没事儿每天扛着，挥舞来挥舞去，自然身体越来越壮。其实应该让银尘和自己换一下兵器，他那么多的兵器，好像都是又小巧又精致的，更别说还有一条女人的裙子了。应该让他拿这把重剑，他太瘦弱了，看起来随时都能被风吹走。如果不是现在他还比自己稍微高一点点个头的话，麒零都觉得自己是他哥哥了。

“银尘到底多少岁了啊？按道理应该比我老很多啊，怎么看起来感觉他的皮肤吹弹得破，而我反倒这么沧桑？难道是我从小端盘子的问题？被油烟熏太多了？”麒零一边心里嘀咕着，一边穿好衣服裤子，把腰带系上，然后下楼去了。

刚下到大堂，就看见天束幽花已经坐在一张桌子前面吃早餐了。面前一大堆精致的白银器皿，里面盛放着很多精致而花样繁复的点心，一个白银茶壶里，散发着滚滚的小麦制作的茶的香味，茶香里隐隐可以闻到一股金线草蜜的气味。

“你真有钱。”麒零在幽花边上坐下来，歪着他那张俊美的、从小就讨女孩子喜欢的脸，笑眯眯地说，“我能和你一起吃么？这么多你也吃不完吧？”

“你身上不是有很多钱么？”幽花的脸微微一红，然后脸上马上笼罩起一层冰霜，“你的脸别靠我这么近！”麒零习惯了和别人说话靠得很拢，他身上少年的气息，从他的脖子、头发、口腔里散发出来，像是青草被阳光照射后的味道，浓烈的清香里有一种天然的辛辣。对于天束幽花这样的少女来说，当然会引得脖子一阵发烫。之前麒零每次把下巴放在银尘的肩膀上、大腿上、胸口上（……）说话的时候，银尘都会一把推开他，“你离我远点儿，我穿的白衣服。”

“那不行，那钱是银尘的，我不能乱花他的钱。”麒零看着桌子上的各种美食，咽了咽口水，“而且昨天晚上住店，已经花掉不少了。这个店真贵啊，你带我来的都什么地儿啊，杀人不见血。”

“你还帮银尘省钱啊，他不都不要你了么，跟着鬼山莲泉那个女人跑了。”天束幽花提到鬼山莲泉，语气里满是讥讽。

“他不会的。”麒零望着桌子，低着头，脸上虽然带着失落的表情，但是他的语气还是非常坚定，“他不会不要我的。我在这里等他。”

天束幽花看着面前失落的麒零，心里某个角落软软地陷了下去。她叹了口气，拿过一个盛满蜜饯馅儿点心的银盏，放到麒零面前，“吃吧。”她依然假装着冷漠的声音。

“你真好。”麒零抬起头，笑容带着少年独有的朝气，一排洁白整齐的牙齿，在清晨的阳光里格外灿烂，仿佛可以照亮人的心。他的眼睛湿漉漉的，仿佛温润的豹子。

吃完早饭，麒零和幽花两个人坐在大厅里发呆。

“之后的日子，我们去哪儿呢？”麒零看着幽花，有点儿失去方向了。之前一直都是有银尘的带领，走南闯北，学魂术，拿魂器，每天好像都有忙不完的事情。但是现在，银尘突然离开了，自己一下子变得不知道应该干什么。

两个无家可归的小孩，此刻好在有彼此陪伴。

正在烦恼当中，大门突然走进来四个穿着银白色皇族侍卫衣服的人，他们都戴着遮住眼睛的兜帽，长袍上的银边刺绣精致而奢华，无数柔软的白银丝缕缝在衣服的各个角落，一看就大有来头。四个人一样的个子，身材都非常挺拔，而且看起来连走路的姿势都一样。

麒零饶有兴趣地打量着，直到四个人笔直地朝他和天束幽花走过来。

“六度使徒、七度使徒，请随我们一起，到雷恩的教堂去一趟。”其中一个人，对着麒零和幽花弯腰鞠了一躬，低下头，非常恭敬地说道。

“你们是谁啊？”麒零瞪着他的大眼睛，眼睫毛忽闪忽闪的。

“他们是【冰帝使】，是冰帝专用的使节。”天束幽花站起来，把嘴巴凑到麒零耳边，悄悄地对他说。

“冰帝？是我们亚斯蓝的皇帝么？那个艾欧斯？”麒零张大了嘴，惊讶得不得了。

“你不怕死么……”天束幽花恶狠狠地瞪了麒零一眼，“别乱嚷嚷！”

“冰帝找我们去，有什么事情啊？”麒零继续傻乎乎地问道。

“不仅仅是找你们，而是所有的王爵和使徒，都被召唤了。但是召唤你们的，并不是冰帝陛下本人。相反，你们的任务，是寻找冰帝——因为，冰帝失踪了。准确一点儿来说，从目前种种的迹象来看，冰帝应该不是自己离开的，就算有要事要离开帝都，他也一定会和周围的人说。他是突然消失了踪影的，而且，在他失踪的那天早上，我们在他空荡荡的寝宫里，发现了曾经有风元素魂术使用残留下的痕迹。我们怀疑，有风源的人，将冰帝带走了。”

“别说笑了，”天束幽花听得脸色发白，“艾欧斯的魂力登峰造极，他和现任的一度王爵修川地藏几乎不相上下，如果他不愿意的情况下还能将他带走，那这个人得多有本事啊？”

“所以，我们禀告了白银祭司，白银祭司让我们召唤所有的王爵和使徒，一起回到帝都。”冰帝使回答。

“……这么严重。”天束幽花回头望着麒零，她知道，这个命令是没办法拒绝的。

“我不去。我要在这里等银尘，他回来会找不到我的。”麒零直接摇头。

“一定要去。”冰帝使低着头，非常恭敬，但是语气却是不容置疑的。

“那我什么时候能回来？”麒零问。

“这个我们不知道。但是我们会留人在雷恩，如果银尘王爵回来这里，我们也会召唤他的。”

“那也就是说银尘也会去帝都？”麒零问。

“是的，如果现在有冰帝使已经找到了他的话，可能他已经在去帝都的路上了。”

“好，那我去。”麒零吞下一个点心，冲他们点点头。

收拾好行李，麒零跟着四位冰帝使离开了驿站。走出大门，麒零望着远处港口外的大海，心里空荡荡的。不知道现在银尘在哪儿，也不知道他有没有发生什么不好的事情。

远处的大海缓慢地起伏着。

灿烂的阳光照耀着这个繁华的海港城市，海鸟穿梭过云缝中投下的束形光线，抖落出碎碎的羽毛，飞扬在高高的白色尖顶之上。

风从遥远的大海吹拂过来，带着海洋庞大的气息，轻轻地抚摸过每一个人的脸庞。雷恩的居民陆续地开始出海，街边的店铺一个接一个地开门营业，世俗而温暖的气息把城市渐渐温暖起来。无数热气凝聚成的白烟，笼罩在雷恩城大大小小的白色建筑之上。

麒零站在路边，一直定定地望着遥远的大海，舍不得走，直到身边的冰帝使催促起来。

“银尘，你一定要没事啊。”麒零在心里，认真地对着大海说，“我就走几天，如果你没有来帝都，那我之后就回来这里等你。”

他的眼眶红红的，像是被海风吹进了沙子。

他一步一回头地离开了雷恩，前往帝都。

少年背着自己的行囊，日渐挺拔的身躯，渐渐消失在海风的尽头。只是他并不知道，这一别，就和银尘别了那么漫长的岁月。

从此之后，多少年，他们都再也没有相见过。

【西之亚斯蓝帝国 · 雷恩海域】

感觉得到，海银口腔内的温度又下降了一些。照此推断，海银此刻已经抵达的所在海域，应该已经是非常寒冷的深海了。

“其实我所拥有的女神的裙摆，只是那面‘盾牌’的碎片，当初特蕾娅在猎杀我们天、地、海三使徒的时候，她身上就穿着这件上古时期的强大魂器，位列防具前三位的特殊盾牌。当时地之使徒格兰仕，他为了救我，不惜使用了黑暗状态，他身体上的利刃，将特蕾娅的裙摆割断了，其中几片裙摆被风吹走，散落在了远方。多年后，一个很偶然的机会，我找到了这几块碎片，它们已经凝固成了三颗陶瓷棋子般的固体，只有在魂力催动的情况下，才能重新恢复成丝绸质地的、能够抵御所有‘间接进攻’的盾牌。给麒零的，是其中一颗。”银尘小声地叙述着，然而，在提到“格兰仕”这个名字的时候，还是看得出，他的喉咙紧了一下。

“但据我所知，女神的裙摆虽然看起来是丝绸的质地，但是实际上，它的硬度，在所有亚斯蓝历史上记载出现过的防具里，仅次于第一防具【龙鳞漆】和第一盾牌【雪妖的闪光】，它的硬度甚至都超过幽冥的那面死灵镜面，格兰仕作为一个使徒，怎么可能有力量将女神的裙摆斩断？”鬼山莲泉面容凝重地问。

“如果是在平时，十个格兰仕也斩断不了那件神级的魂器。但是，当时他已经是接近完全程度的黑暗状态了，当魂术师处于黑暗状态的时候，他的力量、速度、元素操纵力、生命力……所有魂力战斗指数都已经混乱了，变得我们难以想象地强……直到现在，都没有人能准确地估量暗化时魂力上升的倍数。当时的格兰仕，别说只是斩断女神的裙摆了，就算把整件女神的裙摆绞碎也毫不费力。如果不是特蕾娅靠着她与生俱来的天赋能提前感应格兰仕的攻击，所以躲闪及时，她早就丧命了。”银尘说到一半，停下来，周围除了遥远的洋流声，就只剩下他急促的喘息声。这些已经尘封的往事，都是他心里一直封印、再也没人踏足过的雷区。鬼山莲泉非常理解，她只是安静地等待着。过了一会儿，银尘深呼吸几下之后，他低沉的声音再次在昏暗的空间里响起：“黑暗状态后魂力的上涨倍数，也因人而异的，有些天生魂力潜能巨大的人，他们如果暗化，那将是一场无法收拾的灾难。这也是为什么这些年以来，所有的魂术师都不再轻易使用黑暗状态这种近乎邪恶的终极魂术……”

“到底什么是黑暗状态？我只听我哥哥讲过这种被禁止的邪恶魂术，但具体是什么，他一直都不肯告诉我。”鬼山莲泉看着银尘脸上痛苦的表情，忍不住问道。

“也对。你的王爵是你的哥哥，他肯定不忍心教你这种残忍的魂术。”银尘停下来，看着鬼山莲泉，“魂兽的战斗力是远远比魂术师要强的，所以有魂兽的魂术师，实力会远远高于同等级的没有魂兽的魂术师，而两个魂力相近的魂术师战斗的时候，只要其中一方释放出魂兽，那么，另外没有魂兽的一方，必败无疑，这一点，你是知道的吧？”

“嗯，这个我很了解。”鬼山莲泉点点头，她的天赋就是操纵魂兽，她当然了解潜伏在那些魂兽体内的力量，那是比大多数魂术师所具有的魂力高出数倍的压倒性实力。

“那么，简单地说，黑暗状态，就是不将魂兽释放到体外，而是直接将魂兽释放到身体内部，让魂兽和自己融为一体进行战斗的邪恶魂术。”

“什么？！”鬼山莲泉的脸瞬间苍白。

“魂术师在使用黑暗状态时，会趁着魂兽冲破爵印之后、钻出身体之前这段时间——这段时间，魂兽依然还是之前存在于爵印中时的能量体状态，不具有具体的肉身和形状——迅速在身体表面用魂力制造出一个封印，让魂兽无法突破这层封印，只能困在爵印之外、体表之内的空间里，于是，魂兽的能量开始迅速侵蚀魂术师的肉体，产生一系列不可预计的变化。这种变化，取决于魂兽的类型、魂兽的大小、魂兽的天赋、魂术师的天赋、魂术师体内的魂器，等等，所以，除非使用这种禁忌魂术，否则没有人知道自己的黑暗状态到底是什么样子。黑暗状态会让魂术师变成一种将自己、魂兽、魂器三者融为一体的……怪物。”

“那既然黑暗状态这样强大，为什么大家都视为禁忌呢？”鬼山莲泉的声音轻微颤抖着，听得出来，她显然被黑暗状态的实质撼动了。

“人在处于黑暗状态的时候，魂兽作为无形无状的能量体，除了会迅速侵蚀人的肉身之外，还会飞速地浸染人的神志，黑暗状态持续时间越久，人的神志就被吞噬得越多，到最后，人的神志中理智、善良、本真的一面会被兽性完全压制，永远沉睡在意识的最底层，而杀戮、嗜血、自我保护等野兽本能会迅速泛滥，之后主宰【黑暗体】的，就会变成人性与兽性混合之后的一种精神意志。”

“也就是……变成兽了？”鬼山莲泉问。

“差不多吧……变成了人不人、兽不兽的怪物。”银尘的目光闪动着一种悲哀的平静。

“既然知道会变成怪物，那为什么那么多人还要触犯禁忌，以身试险呢？”

“对于一些非常精通魂力控制的人来说，比如我的王爵吉尔伽美什，”银尘说起这个名字的时候，脸上依然是那种肃然起敬的神色，他依然称呼吉尔伽美什为“我的王爵”，完全没有意识到他自己现在已经贵为王爵之尊了，“他就能够比较精准地控制黑暗状态的使用，像他这样处于巅峰的魂术师，是可以在兽性完全浸染人性之前，随时终止黑暗状态的进程的，他甚至可以将黑暗状态始终维持在兽性即将吞噬人性却又未能最后突破的那个微妙的临界点……这种状态，是一个魂术师在还能拥有人的神志的情况下，所能达到的，魂力的最最巅峰。但要达到这种状态，对魂力的控制就必须超乎想象地精准，一丝一毫的魂力波动，都会导致那个临界点的崩塌……在我们三个使徒被特蕾娅追杀的那个时候，格兰仕刚刚学会使用黑暗状态不久，他冒着巨大的风险，使用了这个终极魂术，等于是在赌自己的命……”银尘轻轻挥了挥手，镜面上发出的柔光熄灭了，黑暗里，他抬起手，轻轻揉掉自己眼角流下的泪水，过了一会儿之后，他再次挥手，黑暗的空间里，光线重新柔软地洒在他们俩的身上。

鬼山莲泉没有说一句话，只是静静地看着银尘，目光里沉淀着闪烁的光影。

“谢谢你。”银尘低下头，轻轻笑了笑。

“不用。”鬼山莲泉回答道。

“就冲你不问我为什么灭掉光源，也不问我谢你什么，你就值得让我说这声‘谢谢’了。”

“因为这样的感觉，我懂。”鬼山莲泉目光转向另一个方向，光线照出她坚毅的侧脸，让她冰冷却美艳的面容，露出一股让人怜惜的倔强感。

在两人的对话中，海银已经飞速地下潜了很深的距离。随着外面传来一阵轰隆的声音，鬼山莲泉知道，海银庞大的身躯，已经被两边深深的海底峡谷给卡住了，无法再进一步下潜，而峡谷深处，就是地下的另外一个空间——魂塚。

“我先出去吧，魂塚里面的空间是违反物理规律的，因为下面巨大的水元素魂力磁场，海水不会倾斜到下面的空间里，但是人还是会坠落的。我有魂兽闇翅，我先下去，然后以回生锁链为信号，你看到我的回生锁链，就随我下来。”

银尘："你自己小心。"

整个空间开始倾斜，很显然，海银已经呈倒立的状态，这样，它等下张开嘴的时候，海水才不会完全涌进它的口腔里来。银尘和莲泉往海银口腔深处又走进去一些，并且伸手抓住了它锋利的巨大牙齿，这样才避免自己坠落下去。一切准备就绪，鬼山莲泉冲银尘点点头，她双眼瞳孔一紧，随着海银一声巨大的吼声，它的庞然大口轰然张开，银尘眼前人影一闪，鬼山莲泉已经冲了出去，一阵水浪翻涌进来，银尘抓紧牙齿，等待着。

鬼山莲泉刚刚冲出海银交错锋利的牙齿中间，冰冷的海水就将她整个包裹，她看了看下方发出的幽蓝色的光源，将手中的回生锁链激射而出，回生锁链穿透海水，笔直地射向下方的空间，随着透过海水沉闷的"叮叮"两声，鬼山莲泉知道回生锁链已经射进下方的岩石里，她双手一紧，整个人仿佛一条急速的银鱼一样，飞快向海底射去。

"轰隆——"

她整个人在穿透水面的瞬间，急剧地下坠，她转过身，望着头顶悬浮的海水，刚刚被自己溅起的水花，全部重新上升，融入倒悬的海面，这种场景实在太过离奇了。下一个瞬间，她耳边汹涌而出的白色光芒凝聚成形，闇翅凌空显影，她摔落在它巨大的柔软后背上。她没有迟疑，将钉在崖壁上的回生锁链迅速拉回，朝头顶的倒悬海面激射而出。

啪啪。

两根锁链射进海银的口里，银尘伸出手，抓住快如流星的锁链尖端，他用力拉了拉，锁链那端感应到了他的拉力，于是迅速一扯，银尘深吸一口气，飞快地随着锁链的力量冲进海水里。

下一个瞬间，银尘就从鬼山莲泉头顶倒悬着的海面坠出来，跌落在闇翅的后背上。

鬼山莲泉和银尘浑身魂力微微释放，瞬间，他们身上湿淋淋的水分，全部变为冰碴抖落下来。

"之前我们在魂塚里的时候，不知道因为什么原因，那本来应该带我们离开魂塚的棋子，变成了到达尤图尔遗迹的棋子。那个时候，我们并不知道尤图尔遗迹是什么地方，更不知道尤图尔遗迹的位置，其实就在魂塚的下一层。现在看来，正好，解决了我们最大的麻烦——我们可以绕过祝福，直接抵达下一层。”

银尘点点头，然后两个人骑乘着巨大的闇翅，朝峡谷尽头的那扇石门飞去。

一会儿时间之后，闇翅扇动起巨大的气流，在那块悬崖上凸起的巨大平台上降落了。鬼山莲泉走到石门之前，看着那枚曾经拉动的铜环，对银尘点点头，然后伸出手，握了上去。

然而，什么动静也没有。

鬼山莲泉的脸瞬间变得苍白。

“怎么回事……”她看着没有任何反应的棋子，突然间不知所措。

“你确定是这一枚？”银尘走过来，面色凝重。

“我确定。”鬼山莲泉点点头，“当时是天束幽花将我推向这个棋子的，而且她后来也进了尤图尔遗迹，我没有记错的话，她说的是她选择了另外一边的棋子，两枚棋子都通向尤图尔遗迹。”

银尘沉默了一下，在莲泉那声“你当心”还没有说出口时，他就已经果断地伸出手握住了另外一枚铜环。

依然一片死寂。

“两枚棋子都失效了。‘他们’封锁了直接通往尤图尔遗迹的道路。”银尘转过身，冷冷地说，“看来，如果要通往下一层的话，只有唯一的一个办法了。”

鬼山莲泉的瞳孔一片漆黑，“你是指杀掉下面的……那个东西么？”她颤抖的声音，在黑暗的峡谷里回荡着。

银尘沉默了，过了半晌，他缓慢地点了点头。

第二十一章

亡者的黑瞳

“凭我们两个的魂力，
没有任何可能杀掉脚下
雾海深处峡谷里的祝福，
它作为亚斯蓝的四大魂兽之一，
魂力远远超过我们两个。
你有什么办法么？”
银尘望着莲泉，
脸上有一种抱着必死之心的悲壮感。

【西之亚斯蓝帝国 · 魂塚】

“凭我们两个的魂力，没有任何可能杀掉脚下雾海深处峡谷里的祝福，它作为亚斯蓝的四大魂兽之一，魂力远远超过我们两个。你有什么办法么？”银尘望着莲泉，脸上有一种抱着必死之心的悲壮感。

“我和你的答案是一样的，以我们两个现在的魂力，没有任何可能杀掉祝福，”鬼山莲泉走到悬崖边上，低头沉思着，“但是，如果只是想要穿过祝福这道防线，到达再下一层尤图尔遗迹的话，我还是有一些把握的。”

“不杀掉祝福，它怎么可能让我们穿过它？”银尘不太相信，但是他看莲泉的表情，又不像是在胡说。“它存在的意义不就是作为囚禁吉尔伽美什的其中一道防线么？”

“如果是在之前，那我也没有任何的把握。现在，我觉得可以试一试。”

“之前？什么之前？”银尘疑惑地问。

“在我成为五度王爵之前，也就是在我还仅仅只是五度使徒的时候。”鬼山莲泉转过来，面对着银尘，眸子里闪动着微光，“那个时候，我和麒零以及天束幽花，我们差一点点就丧命在祝福手下。那个时候，我企图用我的天赋控制祝福，但是没用，它的魂力太庞大了，我的天赋在如此庞大的魂力面前，就像是遇到风暴的风筝一样，有那根线，也没用，一吹就断。但是现在，我已经变成了五度王爵，我对魂兽的控制能力与之前有了天壤之别。虽然不能完全操控祝福，但是，如果只是仅仅做到‘骗过它’，那还是很容易的。”

“‘骗过它’？”银尘不太明白，“你是指什么意思？”

“虽然我的天赋不足以完全操控祝福彻底听从我的指令，但是，我可以让它严重低估我们的魂力，甚至是觉察不到我们的存在，我们只需要将自己的魂力隐藏到最低，将体内黄金魂雾流动的速度减缓到最低程度，那么，再加上我的天赋，我可以让祝福错觉我们只是一个普通的小飞虫之类的渺小玩意儿，那么它势必不会对我们发动进攻，这样，我们只需要缓慢地越过它，从它庞大的身体缝隙里穿过，就行了。”

“可是你要到达下面，必须使用魂力飞掠或者释放魂兽骑在魂兽背上下潜啊，否则我们不是风爵，不可能飞下去的吧，如果完全不释放魂力，靠体能从悬崖壁上攀爬下去，那什么时候才能完成啊？”银尘对这个计划态度依然有些保留，但是他的脸上，已经渐渐开始发出一些希望的光芒来，他隐约感觉到，这个听上去疯狂的计划，不是完全没有可行性。

“这就是需要你来完成的部分了，你收藏了那么多的魂器，其中肯定有能够载人御风飞行的魂器吧，我们只需要让这个魂器载着我们，慢慢从空中下沉就行。因为就算魂器散发出庞大的魂力，但是，不要忘了，我们是在魂塚里，整个峡谷里数以万计的魂器都在散发着魂力，突然多了一件，根本不会引起异样，就像你不可能察觉到茫茫草原上突然多了一根草一样。”

银尘的瞳孔在昏暗的光线里发出熠熠的闪光，他的脸上充满了激动。因为之前，他虽然抱着必死的决心营救吉尔伽美什，但是，现在他发现，这个计划并不是“必死”，而是有成功的可能，他的心脏像要从胸口跳出来一样。

“而且，我们还有一道最后的防线，那就是你拥有魂器——女神的裙摆，”鬼山莲泉终于笑了，“就算我的催眠失效了，让祝福觉察到有微弱的魂力靠近它，那么，它就算发动攻击，必然也是像一只猛虎企图拍死一只蚊子一样，不可能用尽全力，只会轻轻一击，那么，尽管你拥有的只是女神的裙摆的部分碎片，但也肯定足以抵御这微不足道的攻击了。当祝福发现攻击落空的时候，它必然更加确认刚刚它似乎探知到的魂力只是错觉。”

银尘沉默了一会儿，终于从喉咙里发出一声：“好。”他没有再多说一个字，但是，鬼山莲泉能够听得出他在极力压抑自己哽咽的声音。

“也许冥冥之中，注定了我们必将营救吉尔伽美什吧。我想，当初白银祭司囚禁他的时候，怎么都没有想到，营救者中，有我这样具有催眠魂兽天赋的王爵，加上你这样收集了各种魂器的王爵，而且还恰好得到了女神的裙摆，也许一切自有神意吧。”

“我们开始吧。”鬼山莲泉看着银尘。

“好。”银尘点点头，举起手在空中一挥，一面圆形的又像是琉璃又像是玉盘的器皿，从半空里浮现出来，微微地飘动着，看起来轻若无物。“这是一件非防具也非武器的魂器，它的名字叫【云决】，它可以迅速在天空制造出大量的云，从而降雨，虽然不具备进攻或者防御的属性，但是，对于一些善于元素魂术的人来说，非常管用。比如在沙漠里或者周围没有水源的地方，能够通过瞬间的大规模降雨，迅速改变周围的地域属性，从而大幅提高他的战斗力。作为魂器本身，因为是‘云’，所以本身就可以飘浮。”

“……其他王爵，甚至白银祭司都不知道你搜集到了这么多各种类型的魂器吧？否则你怎么可能一直屈居七度王爵，你的实力，远远被低估了啊……”鬼山莲泉望着银尘，认真地说。

银尘没有回答，他将手朝下面凌空一拉，那面云决缓慢地开始朝下面云遮雾绕的峡谷底部沉去，银尘从悬崖边缘一跃而下，稳稳地落在云决的上面。他转头朝莲泉招招手，莲泉点了点头，然后闭上双眼，巨大的闇翅瞬间卷动成无数缕白色的光芒，旋风般吸进她耳际的爵印，她从空中落到云决上，两个人往下慢慢地沉去，一会儿，就消失在浓厚的云雾之下了。

眼前的云雾消散之后，鬼山莲泉再一次看见了那幅地狱般骇人的场景。巨大狭长的峡谷底部，挤满了一条一条又长又粗的蛔虫一样的触手，仿佛无数河底的线虫放大了几十倍一样，密密麻麻地挤在血淋淋的水里。银尘被眼前的场景震惊了，尽管之前他就知道祝福的可怕，但是，他也没有想到是这样一种令人难以置信的恐怖。

“把魂力降到最低，我们马上要进入它能感应到的范围了。”鬼山莲泉说道，银尘听后，转头看她，她的双眼已经变成了彻底的金色，脖子上也隐隐发出金黄纹路的光芒，看来鬼山莲泉已经开始发动她的天赋了。看起来，似乎骗过了脚下的祝福。那些蠕动着的红色肉藤，缓慢地交错着钻来钻去，没有发现正逐渐靠近的两人。

银尘将两枚女神的裙摆的碎片小心地捏在手里，随时准备着催动魂力将它们激发成可以抵御魂兽进攻的原始丝绸状态。云决的高度越来越低，血淋淋的水面也越来越低，那些仿佛巨大的树干粗细的血舌尽在咫尺，上面一个一个吸盘都看得清清楚楚。快要接近触碰到水面时，银尘感觉心脏都快跳到喉咙了，这么近的距离，如果祝福瞬间发动进攻，那么以它的超高速度和力量，自己是否有把握抵挡，还真的难说。

鬼山莲泉突然双手朝前一伸，插进了赤红色的血水里，无数巨大的红色蛔虫样的肉藤，一根根地蠕动着，她仿佛拨开风中柔软的柳枝一样，温柔地分开那些拥挤在一起的玩意儿，她的双眼完全看不到焦点，金色光芒在里面仿佛煮沸的液态黄金。

云决缓慢地沉进了祝福庞大的体内。

【西之亚斯蓝帝国 · 尤图尔遗迹】

“我们活着出来了。”银尘闭上眼睛，眼前仿佛依然是刚刚围绕在自己周围的无数红色巨大蛔虫组成的肉壁，那种让人几欲呕吐的腥臭，那种仿佛粘在耳膜上的沉闷的蠕动声，视野里一片猩红。

仿佛从死亡的边缘走了回来。

鬼山莲泉轻轻地在一块岩石上坐下来，她双眼紧闭着，看上去，刚刚为了欺骗祝福，她持续高强度地发动了太长时间的催眠天赋，此刻，她的魂力处于极低的状态。

银尘走过去，伸出手轻轻地放在她的耳边，庞大而精纯的魂力如同泉水般汩汩流进莲泉的身体，银尘能感觉到她的体能和魂力异乎寻常的恢复速度，他非常清楚地知道，面前这个拥有【催眠】和【永生】两种天赋的女爵，同时还拥有非常杰出的智慧和胆识，甚至拥有很多男子都没有的忍耐力。她的坚韧仿佛被积雪压着的松枝。

鬼山莲泉闭目恢复体力的同时，银尘闭上眼睛，探寻着周围的魂力。

此刻，他们已经处于尤图尔遗迹之中了，但是，和上一次与漆拉一起前来的时候一样，整个庞大的遗迹里，没有任何魂力的气息。庞大的地底之城，如同一片真正荒凉的废墟，空无一人，鬼影都没有。

银尘转过头，发现鬼山莲泉已经站起来了。她的恢复速度真的很惊人。

“这里……怎么会突然变得这么……空？”鬼山莲泉和银尘一样，感应了一下四周，惊讶于四处黑洞般的真空感。

“很奇怪，之前成千上万的亡灵，都没有了。”银尘轻轻地说，“在永生岛大战之前，我和漆拉就来过这里，那个时候，所有的亡灵都已经消失了。但是，这真的很离奇，因为，没有任何一个人有能力让这么多亡灵瞬间灭亡，就算是吉尔伽美什，也很难做到。”

“但肯定不是白银祭司撤销了数万亡灵组成的这一道防御屏障，因为这些亡灵存在的意义，就是为了囚禁吉尔伽美什，白银祭司不可能会撤销的。”鬼山莲泉说。

“不对……”银尘低着头，若有所思的神色看起来仿佛抓住了脑海里一些模糊的想法，很关键，但是却又没有清晰的轮廓。

“有什么不对？”鬼山莲泉问。

银尘抬起头，目光突然锐利起来，“尤图尔遗迹从很早之前就存在了，有很长的历史，而且，我们历代的一度使徒里的地之使徒，其实扮演的就是‘地狱之使徒’的使命，这是只有我们一度使徒和王爵才知道的秘密。地狱使徒的任务，就是不断搜集已经死去的王爵、使徒，或者高等级魂术师的灵魂，将它们全部集合到这里，保护某种东西。至于是什么，我们并不清楚。这个任务，从我们之前，甚至漆拉那一代之前的地之使徒，就开始了。那个时候，吉尔伽美什还根本没有诞生，所以，这些亡灵，不可能是因为要囚禁吉尔伽美什，才聚集到这里的。我觉得，肯定还是像之前白银祭司告诉我们的一样，是为了守护某种东西。”

“那现在，这里的亡灵全部消失了，是不是意味着……那个东西已经失窃了？”鬼山莲泉的声音里，有一种说不出的恐惧。

“这个我不清楚。”银尘的眉头紧紧锁着，从他的神色看来，他心里也充满了未知的恐惧。

“不过，如果从白银祭司需要搜集那么多的亡灵，并且已经有那么长的历史来看，这些亡灵守护的东西，一定非常重要。如果失窃了，对亚斯蓝来说，非常有可能是一场灾难。”鬼山莲泉望着银尘。

银尘低着头，轻轻叹了口气，“不过也没关系了，我已经不是天之使徒了，现在修川地藏的新的地使，应该会解决这个灾难吧。我只想救出吉尔伽美什，其余的什么都不想，哪怕死了也无所谓，这个国家就更和我没关系了。”

莲泉不知道怎么接他的话，只好沉默。但其实，在她的内心里，有某一个部分，是认同他的。就像自己一样，此刻自己的心里，是完成鬼山缝魂的遗愿，为他报仇，实现他临死前的遗愿。但是，完成了之后呢，自己何去何从？茫茫的天地间，自己该干吗呢？肯定不能再做王爵了，那么做谁呢？

“西流尔有告诉你，怎么才能从尤图尔遗迹到达再下面一层，也就是真正囚禁吉尔伽美什的地方么？”银尘的话音，将思绪飘远的鬼山莲泉拉了回来。

“有。”鬼山莲泉抬起头望了望，朝着有两座巨大石柱的地方走去，“跟我来。”

在黑暗里行走了一刻钟左右，周围的庞大黑暗，依然没有一丝声响。没有边界的死寂。

鬼山莲泉停留在一个祭坛般的废墟上，周围的石台大部分已经坍塌，只剩下中央一个圆形的石块拼接成的圆形地坛样的凹陷区域，看起来仿佛一个圆形的水池，当年也许是波光粼粼的喷泉池水也说不定。

鬼山莲泉转身对银尘说：“应该就是这里了。西流尔说的祭坛。”

银尘走过去，迈进凹陷的圆形地块里，鬼山莲泉的面容也很疑惑，显然，西流尔并没有清楚地告诉她到达这里之后如何进入下一层。

“你来看这里。”银尘蹲下来，伸出手一挥，强劲的气流将地面上一块巨大长条方砖上的灰尘拂开，一行古体字显现出来：

一池同源黄金血，唤开白色地狱门。

“地狱门，应该是通往下面的门的意思，但为什么是白色地狱？而且黄金血是指什么呢？”鬼山莲泉蹲下来，研究着这行字样。

“黄金血，说的应该是融入了黄金魂雾的血液，也就是魂术师的血。但是，怎么可能是同源的黄金血？同源应该是指来自同一个人……如果是这样，那么，放满这一池血，人也早就死了。”银尘的眉头紧紧皱着。

“那不一定。”鬼山莲泉若有所思，然后轻轻地说道，“你忘记了我新得到了一种天赋么？”

银尘恍然大悟，“对，西流尔永生的天赋！对于现在的你来说，这些血液，完全不是问题。”

“试试看吧。”莲泉的面容非常凝重。就算仗着自己拥有永生的天赋，但是，要从体内放出这么多血来灌满这个池子，也绝对不是一件小事。

鬼山莲泉伸出左手，把袖子往上卷起来，她抬起右手往手腕上用力一划，空气里瞬间有一股浓郁的血腥气弥漫开来。

“我突然想到，”鬼山莲泉垂着手腕，任由鲜红而滚烫的血液汩汩流进脚边的池壁，“西流尔对我进行赐印、将他的爵位传递给我，并不是一时心血来潮，而是他知道，如果没有他的这种天赋，是无论如何也无法破解这个封印的。

“而且，这也更加证明了白银祭司的计划天衣无缝，因为，既然西流尔的肉身化成了那个岛屿，那么，世界上就再也没有人拥有永生的天赋来破解这个最后的封印了，所以让西流尔化为岛屿成为其中一个封印，除了让这个囚禁之地的有效时间接近永恒之外，更是彻底从根源处，消灭了破解这道血池的封印的人。

“其实，这也解释了另外一件事情……”鬼山莲泉的脸越来越苍白。

“什么事情？”

“你还记得之前我、麒零、天束幽花三个人进入魂塚之后，棋子被调换的事情么？”鬼山莲泉问。

“当然记得。”

“现在想起来，如果说心脏里的两位白银祭司因为我和我哥哥的背叛，而要在魂塚里就将我铲除的话，那么调换棋子，就显得理所当然。但是，问题是，为什么天束幽花本来和这件事没关系，她得到的情报也是错的，那枚另外的棋子，也将她送到了尤图尔遗迹里？现在看来，也是白银祭司计划的一部分，他们不允许世界上还存活着拥有永生这种天赋的人，因为只要还有这种天赋存在，吉尔伽美什的最后一道封印就有可能解开。”

“这样说起来，一切就都能解释了。至于麒零，他是在计划之外的，是突然提前了计划，撞进魂塚，所以被迫和你们牵连到了一起。”银尘点点头，目光异常地沉重。

“而且，我觉得这个最后的封印的意义，还在于，如果一个人消耗了这么多的血，那么就算他破解了这个封印，最后进入了下一层吉尔伽美什的囚禁之地，那么，他肯定也已经虚弱得不堪一击，无论接下来要面对什么新的陷阱和攻击，他应该都难以为继了。”

银尘沉默着，没有说话。这趟营救之旅，充满了太多的危险。从目前种种来看，囚禁吉尔伽美什的设计已经到了匪夷所思和极度邪恶的程度，难道真的仅仅只是为了防止吉尔伽美什将来有可能叛变这样的原因么?

黑暗空旷的尤图尔遗迹里寂然无声，除了鬼山莲泉手腕上不断滴下来流进干涸的池底的血发出的“滴答滴答”声。黑红色的血浆已经在池子里积累了起来，但是，随着身体内部血液的消耗越来越多，鬼山莲泉的天赋使得她的身体产生了本能的保护，她手腕的伤口愈合速度之快，让人瞠目结舌，鬼山莲泉不得不一次次地划开自己的手腕动脉，一个个伤口在她的手臂上被割开，然后又愈合。

“现在血液灌注的速度太慢了，我得加快速度，这个黑暗的地下遗迹里，似乎时刻都充满着未知的危险。我们还是不要多停留比较好。”说完，银尘又听见几声血肉撕扯的声音。

银尘实在有些不忍，却又没有办法，他轻轻地走过去，在她身边蹲下来。他低头沉思了一会儿，像在回忆些什么东西，然后，他双手一挥，一盏碧绿色的铜灯，出现在他的脚边，他轻轻拧了拧灯座上的一个小小旋钮，幽然的光线就从灯罩里散发出来，碧绿碧绿的荧光，看起来不像是燃烧发出的光亮。

“这个灯，能产生黄金魂雾?”鬼山莲泉一边问，一边重新在手肘动脉处用力撕开一个更大的伤口，她之所以这样问，是因为她感觉到，周围黄金魂雾的浓度明显增大，她身体的愈合和血液新生的速度明显加快。

“不是，这个魂器的名字叫【聚魂玉】，”银尘将手按在莲泉的耳朵边上，他也将自己的精纯魂力输送给莲泉，“虽然不能产生黄金魂雾，但是它可以将周围大范围的黄金魂雾迅速吸纳聚拢，对于受伤，或者魂力消耗巨大的魂术师来说，是一件还挺有用的魂器。”

鬼山莲泉因为大量失血而苍白的面容上，露出丝丝笑意，“你看起来就像是一个移动的魂塚嘛，以后使徒直接问你要魂器就行了。”

银尘没有回答，也没有笑，他只是静静地看着莲泉，心里充满了对接下来会发生的事情的担忧。到目前为止，每一关，都过得并不容易，但又很侥幸，一直都没有正面交锋的情况发生，但是，这种看似安静的表面之下，银尘总觉得有什么东西在催生暗涌，吉尔伽美什的囚禁之地，如果真的可以如此简单地就到达，将其营救的话，那么一切都显得太过容易了。一定有什

长江文艺出版社北京图书中心·上海最世文化发展有限公司

重点书目：

青春文学

书名	作者	定价
《小时代1.0折纸时代》	郭敬明	29.80元
《小时代2.0虚铜时代》	郭敬明	26.80元
《小时代3.0刺金时代》	郭敬明	32.80元
《悲伤逆流成河》百万黄金纪念版	郭敬明	25.00元
《幻城》2008年修订版	郭敬明	23.00元
《N.世界》	年年/郭敬明	38.00元
《夏至未至》2010年修订版	郭敬明	26.80元
《临界·爵迹Ⅰ》	郭敬明	19.80元
《临界·爵迹Ⅱ》	郭敬明	22.80元
《爵迹·燃魂书》	郭敬明等	18.80元
《下一站·伦敦》	郭敬明等	26.80元
《下一站·神奈川》	郭敬明等	26.80元
《我们约会吧》	郭敬明等	28.00元
《最后我们留给世界的》	郭敬明等	39.80元
《<最小说>五周年铂金特典》	郭敬明等	55.50元
《收纳空白》	年　年	36.00元
《琥珀》	年　年	29.80元
《告别天堂》2010年修订版	笛　安	22.00元
《西决》	笛　安	22.80元
《东霓》	笛　安	26.80元
《南音（上）》《南音（下）》	笛　安	24.80元/册
《芙蓉如面柳如眉》五周年纪念珍藏版	笛　安	24.80元
《不朽》	落　落	22.00元
《须臾》	落　落	24.80元
《千秋》	落　落	28.80元
《万象》	落　落	39.90元
《尘埃星球》2009年修订版	落　落	22.80元
《年华是无效信》2010年修订版	落　落	24.80元
《剩者为王》	落　落	26.80元
《寂静》	hansey	48.00元
《四重音》	消失宾妮	22.80元
《馥鳞》	消失宾妮	22.80元
《孤独书》	消失宾妮	26.80元
《任凭这空虚沸腾》	王小立	22.80元
《陪安东尼度过漫长岁月》	安东尼	19.00元
《橙—陪安东尼度过漫长岁月II》	安东尼	28.80 元
《这些 都是你给我的爱》	安东尼/echo	24.80元
《痕记》	痕　痕	22.80元
《大梦》	猫某人	19.80元
《荣耀谱》	猫某人	22.80元
《浮世德》	陈　晨	24.80元
《双CHEN记》	陈　晨	24.80元
《人间》	李锐/蒋韵	26.80元
《毒蜘蛛之死》	冰　波	26.80元
《后羿》	叶兆言	28.80元
《神的平衡器》	陈奕潞	24.80元
《天鹅·光源》	恒　殊	24.80元
《天鹅·闪耀》	恒　殊	24.80元
《长日无尽》	玻璃洋葱	22.80元
《骑誓·蛊骑士的灵印》	陈　晨	19.80元
《骑誓·十字骑士的诅咒》	肖以默	19.80元
《骑誓·精灵骑士的杰鲁修传说》	王小立	19.80元
《骑誓·海渊骑士的破晓》	蒲宫音	19.80元
《骑誓·龙骑士的千年誓约》	爱礼丝	19.80元
《骑誓·蔷薇骑士的焚梦书》	卢丽莉	19.80元
《骑誓·冰川骑士的第十二条规则》	陈奕潞	19.80元
《骑誓·杀戮骑士的垂怜》	猫某人	19.80元
《骑誓·丛林骑士的亡者征途》	自由鸟	19.80元
《当我们混在上海》	叶　阐	26.80元
《单人床上的忏悔》	叶　阐	26.80元
《薄暮》	林培源	21.80元
《锦葵》	林培源	24.80元
《欢喜城》	林培源	24.80元
《回声》	蒲宫音	19.80元
《远歌》	蒲宫音	22.80元
《光月道重生美丽》	自由鸟	19.80元
《羽翼·深蓝》	自由鸟	22.00元
《小祖宗1.0魔术师》	自由鸟	24.80元
《小祖宗2.0命运之轮》	自由鸟	24.80元
《白色群像》	肖以默	22.00元
《昔夏杉树镇》	肖以默	24.80元
《迷津》	萧凯茵	24.80元
《燃烧的男孩》	李　枫	24.80元
《直到最后一句》	卢丽莉	24.80元
《蔷薇求救讯号》	卢丽莉	26.80元
《沙城》	雷文科	22.80元
《云漂》	雷文科	22.80元
《恋爱习题与假面舞会》	爱礼丝	22.80元
《微光世界》	小　皇	36.80元
《童年是孤单的冒险》	简　宇	22.80元
《蒹葭往事》	林　汐	22.80元
《第四人称》	陈　龙	22.80元
《男友告急》	项斯微	22.80元
《午时风》	野象小姐/舞小仙	24.80元
《白夜森林》	舞小仙/野象小姐	38.80元
《短长》	李　茜	24.80元
《贝类少年》	李　枫	26.80元
《东倾记·神启》	琉　玄	24.80元
《东倾记·啸世》	琉　玄	24.80元
《桥声》	吴忠全	24.80元
《北城以北》	余慧迪	24.80元
《最后一只猫》	张喵喵	26.80元
《草样年华·壹》	孙　睿	28.00元
《草样年华·贰》	孙　睿	28.00元
《草样年华·叁》	孙　睿	28.00元
《草样年华·肆》	孙　睿	28.00元
《第一届“THE NEXT·文学之新”新人选拔赛作品集上》	郭敬明主编	29.80元
《第一届“THE NEXT·文学之新”新人选拔赛作品集下》	郭敬明主编	29.80元
《第二届“THE NEXT·文学之新”优秀入选作品集》	郭敬明主编	29.80元
《第二届“THE NEXT·文学之新”决赛优秀作品集》	郭敬明主编	29.80元

原创漫画

书名	作者	定价
《青春白恼会VOL.1恋爱零突破》《青春白恼会VOL.2少年相对论》《青春白恼会VOL.3高校大作战》	千噕/阿敏/爱礼丝	10.00元/册
《青春白恼会VOL.4摇滚特工队》《青春白恼会VOL.5 双面智多星》	千噕/阿敏/爱礼丝	10.00元/册
《小时代1.5青木时代VOL.1》《小时代1.5青木时代VOL.2》《小时代1.5青木时代VOL.3》《小时代1.5青木时代VOL.4》	陌一飞/郭敬明/猫某人	14.80元/册
《小时代2.5锋银时代VOL.1》	陌一飞/郭敬明/猫某人/李茜	14.80元
《受不了RELOAD VOL.1》《受不了RELOAD VOL.2》《受不了RELOAD VOL.3》	丁　东	10.00元/册
《梅兰芳外传–再见梅兰芳》《梅兰芳 卷一 梅之卷》《梅兰芳 卷二 兰之卷》	林　莹	16.80元/册
《小祖宗 VOL.1》《小祖宗 VOL.2》	夏俊/自由鸟	10.00元/册
《桃花刺身 上》《桃花刺身 下》	丁东/王羽	10.00元/册
《下垂眼》	王小立	10.00元
《王牌大助理》	阿敏/小叶/小青/meiyou	26.80元
《70分婚礼》	席　滢	19.80元

最世文化刊群：

刊名	主编	定价
《最小说》	郭敬明主编	15.00元
《放课后》	郭敬明主编	10.00元
《文艺风赏》	笛安主编	16.80元
《最漫画》	郭敬明主编	10.00元
《文艺风象》	落落主编	16.80元

么，是自己和莲泉都没有想到，或者即将发生的。

想到这里，他的眉心又重新皱起来。

当银尘还在沉思的时候，突然，脚下的大地传来轻微的震动，紧接着，震动越来越大，头顶高处的石壁上，不断地掉落下簌簌的尘埃和石屑，他站起来，身体上的金黄纹路隐隐发光，整个人处于一触即发的戒备状态，他站在水池边上，保护着此刻近乎虚脱的鬼山莲泉，她跌坐在水池的边缘，脸如金纸一样骇人。

银尘这个时候才发现，脚边先前那一池干涸的凹槽，已经灌满了莲泉的血浆，然而满满的一池血红，此刻，却朝着水池底部正中位置的一个旋涡，不断地吸纳进去，仿佛池底突然出现了一个漏洞，血水旋转起来，越来越快，满满一整池的血浆在飞速地减少，当最后一层血浆从中间旋涡漏孔处消失时，一枚发亮的短匕首插在池底的正中，就是刚刚所有血液都仿佛被吸进一个黑洞的位置。

“这把匕首，会是棋子么？”鬼山莲泉撑着虚弱的身体问道，她的声音听起来格外虚弱，仿佛一张纸，一揉就碎。那盏聚魂玉此刻也只剩下微弱的光亮了，看起来，周围的黄金魂雾都被消耗得差不多了，要重新会聚起远处的黄金魂雾，需要一些时间。

“我先试试吧。你先休息。”银尘轻轻地跨进血池里，雪白的长靴，迅速地被池底残留的血浆染上了红色的血迹。空气里是又厚又重的甜腻的血腥气。

“你等一下。”鬼山莲泉撑着膝盖站起来，叮当几声，莲泉已经将回生锁链缠绕在了银尘的右臂上，她攥紧手中的锁链，说：“如果那枚匕首是棋子的话，那么我们至少可以一起瞬移到另外一个空间去，彼此有个照应。如果是触发陷阱的机关，那我能及时地把你拖离血池的区域。你准备好了，就示意我。”

银尘点点头，他蹲下来，冲莲泉做了个手势，然后迅速地握紧匕首的刀柄，鬼山莲泉眼前一花，几缕扭曲的黑色光影突然遮蔽了所有视线范围，莲泉突然感觉到手上回生锁链的紧绷之力瞬间消失，她因为一直用力拉扯着银尘的关系，所以现在回生锁链突然拉了个空，她整个人朝后面跌去。

当她的视线重新凝聚之后，眼前的银尘已经消失不见了。空荡荡的石台之上，只有自己，血池里那枚匕首也已经消失不见，那盏聚魂玉也失去了踪影，整个庞大的尤图尔遗迹里一片漆黑。她想释放出闇翅来，这样，它身上那庞大的白色柔光，起码能照亮一下眼前的黑暗，否则，一切太危险了。然而，她刚刚消耗了太多的魂力，已经不能维持魂兽的正常显影。

鬼山莲泉只好躺在一片死寂的黑暗里，她枕着冰凉的石台，呼吸沉重地起伏着，她脑海里飞速转动着刚刚的一切，肯定有什么地方出了问题，但是，她却不知道到底发生了什么。她心里的恐惧感越来越重，陡然升起一种异样的恐惧——一种明明已经感知到了，却无法说出来的诡异，肯定有哪儿不对劲儿！肯定哪儿有问题，但是，到底是哪儿？她在黑暗里睁大着眼睛，但是，没有任何光源，依然伸手不见五指，就算此刻有一只怪物就在她鼻尖前面张着血盆大口等待着她，她也丝毫看不见。

异样的危险感越来越强烈，到底是什么？到底哪儿不对劲儿了？鬼山莲泉拼命想要想出来，突然，她脊柱一阵冰凉的惧意蹿进大脑，她知道自己身体里这种诡异的感觉到底来自何处了——她已经不能【愈合】了，她身上所有的伤口，身体里流走的所有血液，她所有的皮肤肌腱，全部停止了新生！

莲泉的后背冰凉一片，自己竟然不能愈合了？她闭上眼睛感应着周围，然后，她更加惊恐地发现，在这庞大的黑暗里，甚至在自己能够感应到的大半个尤图尔遗迹的空间里，没有一丝黄金魂雾残余！魂力为零！

这也是为什么她的身体全面停止了愈合的原因。因为没有任何的黄金魂雾能够让她吸收、补充，整个尤图尔遗迹，瞬间变成了一个魂雾的空洞！

“为什么？……为什么……”她的喉咙渐渐锁紧，突然，她感受到了一种死神的气息，说是感受，其实并不准确，因为，对方没有发出任何声响，甚至没有散发出任何味道，但是，鬼山莲泉清晰地感觉到了，自己面前不远处的黑暗里，一动不动地站着一个人，或者说一个不知道是什么的东西。这是一种本能的第六感，但莲泉可以百分之百肯定。

她不敢出声，甚至屏住了呼吸。她用力睁大了眼睛，可是依然什么都看不见，黑暗里的那个人，也许已经走到了自己的面前，在黑暗的死寂里直直地凝视着自己。

“谁在那儿？”莲泉冲黑暗喊，她的声音连她自己都能听出颤抖，其实她知道对方一定不会回答自己，她只是想在这让人快要发疯的一片漆黑死寂的空间里制造一些声音出来，否则，这种绝对的寂静和黑暗，快要让她崩溃了。她的身体在大量失血，并且无法痊愈之后，已经渐渐开始出现了一些濒死的幻觉，无数猩红的光斑一块一块地出现在她的视网膜上，四肢不时发出一阵阵的痉挛。

一阵缓慢而轻柔的脚步声，从前方的黑暗里，一步一步地向自己走来。

莲泉已经没有任何力气作出防御的准备了，她的胃仿佛被黑暗里的鬼手攥紧，扑面而来的死神的气息越来越剧烈。然而，黑暗里，突然发出了一些灰黑色的光线来。这是一种很奇怪的光亮，本来，用灰黑色去形容光，就是一种不对的形容，但是，出现在莲泉的视线里的光线，只能这么勉强形容。

灰黑色的朦胧光线里，一个穿着漆黑长衫斗篷、戴着兜帽的人缓慢地朝她走来。他的脚步踩着一种固定的频率，不轻不重，透露着一种类似鬼魅的傲慢和阴森。光线从他的漆黑长袍下散发出来，让他整个人像一个包裹起来的、散发着微弱光芒的茧。

他走到鬼山莲泉面前，轻轻地摘下了兜帽，他的面容呈现在黑暗里。

“怎么……会……”鬼山莲泉的瞳孔瞬间缩小，她苍白的面容骤然扭曲，“怎么会是你？！”

他的面容仿佛冰雕玉器般冷漠、俊美，然而他的瞳孔，却是彻底漆黑一片，不，不仅仅是瞳孔，他的整个眼球都是彻底的漆黑，没有眼白，没有眼珠，整个眼眶下面，就是这样一汪仿佛漆黑墨水般的黑洞。他蹲下身子来，伸出苍白而修长的手指，轻轻地抚摸上莲泉的喉咙。

“你是……你到底是……谁……”鬼山莲泉从被掐住的喉咙里，发出让人恐怖的断断续续的惨叫声来。

【西之亚斯蓝帝国 · 格兰尔特 · 心脏】

安静的石室里，特蕾娅和幽冥两个人沉默地肃立着。

这间石室和多年前比，看起来完全没有变化。甚至通往这间石室的那条水域，依然没有任何改变，过来时特蕾娅低头再一次望了望那一块块浮阶的下面，数双瘆人的白色枯手，依然支撑着这些漂浮的石阶。

她和幽冥，一回到格兰尔特，就被白银祭司的使者召唤了。听他们说，这一次的召唤，是对所有王爵和使徒发出的。这种大规模的召唤，历史上出现的情况并不多。所以，特蕾娅也无从推断到底发生了什么事情。

身后传来脚步声。

特蕾娅稍稍转过头去，沉重的石门被推开，漆拉悄然地站在逆光里，光线在他漆黑的袍子上打出一圈轮廓来。他的脸依然那样动人，他的美貌在这么多年过去之后，依然仿佛寒冰包裹中凝固的花朵一样，没有丝毫改变。

他冲特蕾娅和幽冥点了点头。从他的表情看来，他也并不知道这次召唤他们，到底因为发生了什么事情。他走进来一会儿之后，大门在他的身后悄然关闭了。

"就来了我们三个？"幽冥看着最后进来的漆拉，转身问特蕾娅。

"使徒们也被召唤了。但是使徒们在隔壁另外一间石室里。"特蕾娅不动声色地回答。

"召唤我们来，会是讨伐五度、六度、七度，三个叛变的王爵么？"幽冥的嘴角依然含着一个邪邪的笑容。

"不要乱下结论。"沉默的漆拉，突然冷冷地开了口，他的眸子里闪动着一种类似盾牌的光芒，"谁叛变谁没叛变，都还说不清楚。"

"我也觉得，你不要乱下结论。"特蕾娅抬起手，掩住嘴角，再一次发出了她那种娇媚而又风情万种的笑声，但是，她的目光里，却永远萦绕着和她的这种笑声好不匹配的毒液般的杀意，"因为啊……如果仅仅是要讨伐五度、六度、七度三个小小的下位王爵，需要动用到我们二度、三度、四度王爵么？随便我们其中的谁，要对付三个最末位的王爵，也不是什么难事儿吧？费点儿力气罢了，你说是吧，漆拉大人？"

漆拉没有说话。

这时，石室里突然蓝光大作，对面那堵高大的石墙，在不断激越的“嗡——嗡——”金属弦音里，再一次幻化成了巨大的水晶。所有人都知道，白银祭司即将现身，于是，他们三个恭敬地低下了头。

巨大的水晶石壁里，出现了一男一女，两位白银祭司。看起来，另外一位白银祭司，应该是去隔壁使徒所在的那个石室里了。

漆拉、特蕾娅、幽冥三个人，恭敬地行礼之后，就安静地肃立着，等待白银祭司的指令。

说话的是那位男祭司。

仿佛来自云端的遥远的声音，带着空旷的回荡感。

“这次的召集，是面向全体王爵和使徒的。但是，很遗憾，因为某些原因，五度王爵鬼山缝魂、六度王爵西流尔、七度王爵银尘，以及五度使徒鬼山莲泉，没有回归。”

说到这里，特蕾娅和幽冥彼此交换了一个眼神，虽然没有说话，但是，他们彼此应该都知道对方在想什么。而漆拉，则一直低垂着他那双美艳动人的眼睛，看不出他在想什么。

“祭司，关于几位未回归的王爵和使徒，有些信息，还没有来得及向您禀报……”特蕾娅低声说。

“如果你是指西流尔死亡、鬼山缝魂死亡、鬼山莲泉变成双身王爵、银尘追随鬼山莲泉后失踪这几件事情的话，那么，我们已经知道了。”白银祭司依然紧闭着双眼，他水晶雕刻般的容貌上，没有任何喜怒哀乐的表情。

特蕾娅闭上嘴，没有再说任何话。但是，她看起来冰雪不惊的面容下，却是波涛汹涌的震撼。她以前一直以为，自己作为天格的统领，扮演着白银祭司“眼、耳、鼻、喉”的重要角色，三位白银祭司因为永远都是只出现在格兰尔特心脏地底的水晶里，所以，外界发生的事情，都需要自己和整个天格庞大的天罗地网般的脉细，来作为白银祭司获取讯息的来源。然而，这一次，刚刚发生在永生岛屿上的事情，现场的人只有王爵使徒，而且自己都还没有来得及布置好天格的人对白银祭司作汇报，在这样的情况下，白银祭司却如此轻描淡写地提到了刚刚的几件事情。特蕾娅突然意识到，也许天格只是白银祭司布在亚斯蓝领域上的其中一套系统，还有很多很多未知的系统，都在为他们三个至高无上的存在而服务。

“这一次召集你们回来，是因为一件事情，那就是，冰帝艾欧斯，失踪了。艾欧斯不可能自己出走，他就算要离开帝都，肯定也都会事先有所交代。以现场的迹象来看，艾欧斯失踪的宫殿里，四处残留着大面积风元素魂术使用之后留下的痕迹，而且以捕捉到的残留魂力来说，其精纯程度，几乎可以断定是来自风源的王爵或者使徒。”

这一次，除了特蕾娅和幽冥脸上露出了惊讶的表情之外，就连漆拉，也忍不住抬起头，瞳孔里满是难以置信的神色。

“但是……”特蕾娅清了清喉咙，尽量让自己的声音显得平静，但她的表情，却明明白白地把恐惧写在脸上，“以艾欧斯的魂力实力，虽然没有人知道他的天赋和魂力等级，但是，至少我们都听说过，他的实力和目前的一度王爵修川地藏几乎不相上下。如果不是他自己离开，假设是挟持，那么，难道是风源一度王爵，已经来到亚斯蓝帝都了？”

白银祭司回答：“这种可能性比较小。因为，风源一度王爵，比我们水爵的一度王爵都还要神秘，而且，好像连续很多年，都没有更换过了。就我们得到的信息，我们连他是谁、名字叫什么、年纪、容貌特征、天赋、魂力级别，都完全不清楚。唯一知道的，是他居住的地方，在北方因德帝国境内的极北边陲，几乎已经接近大陆的北之尽头，他有属于自己的一座宫殿，宫殿坐落的整个峡谷，两边是高耸入云的因德帝国境内最高的两座山脉，而中间的那条峡谷，是整个风源领域上，风元素最强大的地带，被称为【风津道】。他常年居住在风津道里，和修川地藏从来没有离开过心脏一样，这几年来，他也从来没有离开过风津道。不过，整个奥汀大陆上，包括风、水、火、地四个国家在内，大家有一个共识，那就是目前因德帝国的一度风爵，被誉为奥汀大陆有史以来所有王爵中，最强的王爵。”

特蕾娅、幽冥、漆拉，都没有说话。沉默了一会儿，特蕾娅轻声问：“您说的所有王爵里，包括我们现在的一度王爵修川地藏么？”

“包括。”白银祭司冰冷的声音从水晶里清晰地传来。

“那，”一直沉默的漆拉抬起头，“也包括吉尔伽美什么？”

整个石室里，是一片压抑的寂静。没有人再继续说话。过了很久，白银祭司的声音再一次传来："包括。"

众人再次沉默了。

白银祭司继续接着刚才的话题说道："艾欧斯作为我们国家的帝王，代表着我们国家最高的尊贵和荣誉，他的生命，也至关重要。并且，根据我们目前掌握的消息，而且是比较准确的消息，风源帝国的使徒，除了一度王爵的天、地、海三使徒之外，其他六个风源使徒，已经全部潜伏进了亚斯蓝的领域，他们可以是任何人，出现在任何的地方。我们相信，他们肯定在执行一个巨大的计划，艾欧斯的失踪，也正是这个计划的开始。这次召集大家来的任务，你们肯定也猜到了。那就是，找到艾欧斯，并且，弄清楚风源帝国的人，到底在计划什么。"

"好的，我们明白了。"漆拉、特蕾娅、幽冥三人，低头回应道。

"不过，这次任务非常艰巨，你们也知道，风、水、火、地四种元素环环相克，水克火，火克地，地克风，而风刚好克我们水。作为魂术元素来说，风爵对阵我们水爵，具有天生的优势，你们一定要小心。因此，我也派了一位新的伙伴，加入你们的阵营。"

特蕾娅和幽冥彼此对看了一眼，心里隐隐意识到了会是谁，他们心里都压抑着巨大的好奇和紧张。幽冥刚想要说什么，就看见对面特蕾娅的眼睛瞬间一片肆虐的白色风暴，幽冥的心里陡然升起一阵恐惧，在这种地方，在白银祭司的面前，特蕾娅想干什么？

而下一秒，他就看见，特蕾娅眼中的白色风暴瞬间消失了，速度之快，令幽冥甚至感觉自己产生了幻觉。但是，特蕾娅苍白如纸的面容不会说谎，一定是她感觉到了什么让她难以相信的事情，可能自己和漆拉都还没有感觉到，但是，特蕾娅在魂力感知上的天赋，比自己和漆拉都高出不知道多少个等级，但，在心脏这样的地方，能发生什么让她如此惊恐的事情呢？

幽冥还未来得及询问特蕾娅，就突然被心里陡然升起的一种阴森感抓住了。空气里波动着一种无色无味、无形无状的东西，一定有什么事情发生了、变化了，但是，却完全无法知道。一定有什么不对劲儿，这种扭曲的感觉太过强烈，太过陌生，到底哪里出了问题？

特蕾娅苍白的嘴唇颤抖着，她小声地从喉咙里发出声音来："整个心脏的黄金魂雾……都消失了……"

紧闭的石门轰然打开。

三个身高、身形、装束都一模一样的人缓缓走进石室。他们三个都穿着长身的漆黑袍子，连在袍子上的兜帽笼罩着他们的面容，他们的五官沉浸在浓黑的阴影里。

"他们……是……"特蕾娅僵硬地回过头，望着水晶里的白银祭司。其实不用问，她已经隐约能够感觉到，面前的三个人是谁了。

"他们就是当今亚斯蓝领域上的，最强的王爵——修川地藏，和他的使徒。"

"他们的天赋是……"特蕾娅压抑着内心的恐惧，继续问道。

"以你对魂力的感知，你应该多少能够感觉得出了吧？"白银祭司说，"修川地藏的天赋是【窒息】，也就是，他能够瞬间清空大面积领域上的黄金魂雾，让整个区域处于魂力真空的状态，包括魂术师体内的魂力。"

幽冥和漆拉瞬间脸色苍白，他们暗自运行了一下自己体内的魂力，这才发现，整个身体里空荡荡的一片，没有任何魂力的踪影。幽冥突然明白过来刚刚的那种诡异的不对劲儿的感觉，原来是自己突然身处在了一个完全没有魂力的地方，这在亚斯蓝领域上，也从来没有出现过，所以他才会感觉到那么不适应，但又说不出哪儿不对。直到现在白银祭司提醒，他才惊讶地发现，他此刻，已经完全变成了一个普通人了。

"那他自己的魂力呢？"特蕾娅深呼吸了一口气，勉强维持着平静的语气，"会受到影响么，也会一并清空么？"

"不会。"

白银祭司的回答冷漠而有力。

特蕾娅双眼中的光芒，绝望地熄灭了。她终于明白了，为什么修川地藏能够称为亚斯蓝领域上最恐怖的王爵，这也是为什么传说中他被赋予了一种前所未见的崭新回路——这种回路完全就是为了猎杀魂术师而生，这种压倒性的天赋，随时都能将呼风唤雨的王爵，瞬间打回一个凡人的原形，让一个路人和一个一度王爵对打，谁输谁赢，还需要说么？

“那么，”特蕾娅鼓起勇气，问了最后一个问题，“所有被清空的黄金魂雾，包括我们自己体内的那些魂力，最后去了哪儿？是被一度王爵攫取进了他的体内，还是就彻底消失了？”

“这些，都不是你需要关心的事情，特蕾娅。”白银祭司冷冷地说，“你们的任务，是配合修川地藏，找到艾欧斯，守护亚斯蓝，以及，铲除任何阻碍你们的人。”

“可是，”漆拉突然开口了，“修川地藏和他的天、地、海三使徒，应该是四个人，可是现在只来了三个，为什么还有一个人不在？”

“另外一个人，现在已经前往尤图尔遗迹了，他需要去做一件非常紧急的事情。”白银祭司说，“下面，就让一度王爵和使徒与你们见面吧，不过，在他们摘下兜帽之前，我想先让你们作好准备，因为你们肯定会有很多疑问。但是，请不要质疑任何的事情，只需要执行命令，就可以了。”

此刻，站在逆光里的三个黑衣人，身材修长而挺拔，中间的那个，缓慢地摘下了他的兜帽。他仿佛冰雪雕刻的容颜，在水晶墙壁幽蓝色的光线下，带着一丝鬼魅般的诱惑力，他的五官看起来，俊美得就仿佛他的天赋，让人窒息。他缓缓地睁开了他浓密睫毛下的眼睛——那双漆黑一片，没有任何眼白，也没有任何光亮的、仿佛最深最冷的黑夜般的眼球，整个眼眶中都是这样彻底的漆黑。

“啊！”特蕾娅下意识一把抓紧了身边的幽冥的衣摆，她心里的恐惧太过剧烈，“怎么会……怎么会是你？”

“你就是……修川地藏？”漆拉的嘴唇血色全无。

紧接着，另外两个黑衣人，也缓慢地摘下了他们的兜帽。两个人的行动完全一致，动作节奏完全一致，甚至连他们展现在光线里的表情和神态都一模一样——因为，他们三个人，从头到脚，从眼睛到嘴巴，所有的五官、所有的外貌、所有的神态，都是一模一样的。

特蕾娅几乎站立不稳，面前的场景实在是太过阴森恐怖了，她颤抖地问：“谁才是修川地藏？”

“修川地藏和天、地、海三使徒，从外形上来看，没有任何的区别。”

白银祭司的声音里，有一种隐隐的自豪感，仿佛眼前的一度王爵，是他最得意的杰作，“除了我们白银祭司之外，没有任何人知道，究竟谁才是修川地藏。这是他隐藏实力和身份，最好的方法。”

特蕾娅回过头去，望着眼前三张一模一样，却又极其熟悉的面容，什么话都说不出来了。她伸出手，悄悄地握住幽冥的手掌，然而，回应给她的，只有幽冥满手冰凉的冷汗。

仿佛海底般不断晃动的蓝色光线里，穿着漆黑长袍的三个一模一样的银尘，面无表情地肃立在石室的中央，他们每一个人的眼睛，都是一片死寂的漆黑。

★备注：神话传说里，全黑眼球者，代表已死之人或者失去灵魂者。

第二十二章

囚魂植被

当银尘的视线恢复清晰，
耳朵里那种近似尖锐啸叫的风声
消失之后，
他才看清楚了自己所处的地方。
脑海里依然残留着刚刚的景象，
当自己的手握上那枚血池中央的匕首时，
空气里那种异常的扭动非常熟悉，
那是触摸到棋子发生时空转移时的感觉。

【西之亚斯蓝帝国 · 囚禁之地】

当银尘的视线恢复清晰，耳朵里那种近似尖锐啸叫的风声消失之后，他才看清楚了自己所处的地方。脑海里依然残留着刚刚的景象，当自己的手握上那枚血池中央的匕首时，空气里那种异常的扭动非常熟悉，那是触摸到棋子发生时空转移时的感觉。可以断定的是，这把在血池消失后出现的匕首，确实是一枚通往囚禁之地的棋子。然而，鬼山莲泉当时用锁链和自己连接在一起，如果是普通的棋子，那么势必鬼山莲泉会和自己一起发生时空转移。但现在，只有自己一个人被转移到了这里，那么证明那枚棋子上肯定被设下了限制，就像是雷恩甬道里十七神像那个仅仅只有未进入过魂塚的人才能触发的棋子一样，属于特殊的棋子，可以限制转移的人数，也可以限制转移的条件，或者是仅仅针对特定的人才能发生转移。

银尘四下环顾，头顶是一望无际的黑暗，看起来像是昏暗的无星无月的夜空，但银尘知道这里是尤图尔遗迹的再下一层，是很深的地底。他的背后，是一面高耸的山崖，异常陡峭，寸草不生，难以攀爬，看起来是彻底的死路。而前方，是一望无边的黑色水域，水域正中，一条笔直的大理石铺就的道路，穿过水面，指向遥远的前方，道路的尽头，隐藏在一片黑暗里。水面的石道有三米来宽，两边每隔十米左右的距离，就会有一座一人高的石柱，石柱上方是闪动的火光，照亮着黑暗的水域。

看起来，只有这一条路了。

银尘小心地踏上大理石地面，往前面未知的黑暗走去。

银尘一边往前行进，一边将自己探知魂力的感应力发挥到极致，尽管他没有特蕾娅那种大范围精准魂力探知的能力，但是，近距离的魂力异动，还是可以感受到的。然而，庞大的空间里，没有任何魂力的迹象。包括看起来危机四伏的黑色水域，水底十米之内，完全没有任何魂力和魂兽存在的证明。银尘镶满金属的靴子踏在坚硬的大理石地面上，发出一声一声空旷的足音，回荡在异常辽阔而安静的水面之上。从高处看下来，他渺小得如同一只白色的蚂蚁，正爬行在水面上一条横穿而过的石道上。

走到道路的尽头，水域结束了，银尘走上岸边，抬头看见一面高不见顶的山崖，和刚刚水域对面的山崖几乎一模一样，寸草不生，怪石嶙峋。唯一不同的，是山崖的正中，镶嵌着一道巨大的石门，石门的旁边，有一个几米高的石碑，石碑下方，是一个类似祭坛样的凹槽。

银尘走过去，石碑上突然闪动出一行荧火，看起来是亚斯蓝古老的文字，银尘眯起眼睛分辨着：

开启白色地狱之门者，必先舍弃其魂器。

银尘低下头，明白了那个凹槽正是让来者将魂器放在其中的地方。

这和之前那个需要放满一池血浆方能通过的封印，简直是异曲同工。

银尘这时完全明白了这一层又一层的设计，都是为了同样一个目的，那就是：不断削弱企图靠近吉尔伽美什的人的力量。无论是第一层的祝福，还是第二层让靠近者放满一池血方能显现的匕首棋子，又或是此处必须让来者丢弃魂器方能开启的大门，都是为了这个目的。

银尘想了想，闭上眼睛，空气里一声蜂鸣，一把通体绿色的看起来仿佛古老生锈的锥刺模样的武器，在空气里显影。

银尘伸手握住那把锥刺，然后轻轻地放在了石碑下的那个凹槽里。这时，凹槽中突然光影闪动了几下，瞬间凹槽中就被坚硬的冰块封住了，那把古老锥刺凝固在透明的冰里，看起来像一个远古的怪物标本。

面前的石门一边发出沉重的轰鸣，一边朝两边移动开来，一股气流从石门洞开的缝隙中迎面冲来。

冰凉的气息，仿佛结冰的湖面上吹过来的风。

一种突如其来的怪异感从银尘的心里升起。石门里是一个洞穴的样子，站在外面，看不出来有多深，不断有冰冷阴森的气流从里面吹出来，拂在人的脸上，像是鬼魅的吐息。但这并不是那种怪异感的来源，银尘闭上眼睛，四周依然没有任何魂力异动的迹象，但是，却偏偏有种无法言喻的恐怖感，如影随形。肯定有哪里出了问题，但是究竟是什么问题?

但是，银尘却已经没有思考的时间，那扇石门开始慢慢地合拢。银尘眉头一紧，身形闪动，瞬间消失在石门背后，大门轰然关闭了。

护心镜飘浮在银尘的前方，照亮出一小块区域。

和之前的尤图尔遗迹一样，整个洞穴依然是没有任何光亮，黑暗像是黏稠的液体，四面八方塞满了所有的空间。银尘小心地往前走着，同时仔细地感应着周围魂力的变化。

借着护心镜发出的光亮，银尘打量着这个埋藏在山崖深处的洞穴，洞穴不是很高，但是却很深，自己一路走进来，都没有看到尽头，而且来自前方的气流表明，这个洞穴的空间非常大，足以形成气流的回旋，因为背后的石门已经封死，就算前方有出口，也不足以形成气旋的对流。周围的石壁上，蒙着一层看起来非常奇怪的白色粉末，说是粉末，不如说是一颗一颗排列整齐的针尖大小的白色圆点，密密麻麻的，非常整齐。脚下的地面上，长满了无数白色的干草，看起来像是枯萎了的芦苇叶一样，一条一条的，颜色是彻底的白，看起来整个洞穴像是笼罩在冰天雪地里一样。银尘突然想起之前尤图尔遗迹那个祭坛上的字样里提到的“白色地狱”，难道指的就是眼前这个白色的洞穴？

突然一阵冰凉的寒意打断了银尘的思绪，仿佛一条蛇滑进了后背一样，空气里那种怪异的感觉再次袭来，银尘低下头，突然发现，刚刚脚下那些匍匐的枯萎芦苇般的白色干草，全部变成了一根一根扭动的活物，好像成千上万白色的蚯蚓一样，整个雪白的地面就这样哗啦啦地蠕动起来，紧接着，一根又一根的白色干草，突然缠绕着银尘的脚踝，然后迅速往上攀爬，银尘举起手，刚刚要催动魂术时，他整个心陡然地沉到了冰点，因为，他突然发现自己体内竟然空空荡荡的，大量的魂力不知道在什么时候已经失去了踪影，身体里残余的魂力不足千分之一，当他想要吸收周围的黄金魂雾补充魂力时，他恐惧地发现，整个洞穴，完全没有一丝一毫的黄金魂雾，这是一个巨大的魂雾空洞。他头顶悬浮的那面护心镜，光芒呼吸般闪烁了几下，就熄灭了，看起来，连魂器里的黄金魂雾，也不知道被什么东西突然吸走了。

整个洞穴瞬间被黑暗吞噬，还没来得及应对，银尘就感觉到了那些顺着自己的双腿攀爬而上的白色丝带样的草藤，纷纷长出了锐利的细刺，密密麻麻地扎进了自己的肉体。银尘双眼一闭，爵印瞬间收紧。空气里一阵透明的扭曲，下一个瞬间，银尘的身影突然消失了。

银尘整个人突然从空气里显影出来，重重地摔在地面上，身体骨骼传来剧痛，他模糊的视线渐渐清晰后，看见了那扇已经紧闭的石门，以及那面高耸的石碑，石碑下那个凹槽里，凝固在冰晶中的古老锥刺，此刻已经消失不见了，剩下空空的一块冰，正在慢慢消融。

银尘明白，刚刚自己一只脚已经踏进了死神的领域，还好，自己先前把【定身骨刺】放在了这里，留下了一道防线。这个魂器，是自己之前在亚斯蓝东面靠近火源帝国的一个小镇里，找到的一枚魂器，当时这枚魂器正被一个流浪商贩摆在路边贩售。对于一般的路人和魂术师而言，这个曾经属于别人的魂器，没有任何意义。但对于银尘来说，却可以重新让它成为属于自己的魂器而再次使用。后来，银尘发现了这枚定身骨刺的效果，在任何情况下，只要魂术师企图收回这枚魂器，那么，在魂器回到魂术师体内的同时，它能够将魂术师拉回魂器所在的位置，无论当时它与魂术师的距离有多远，或者是否被其他魂术封印阻隔。它的功能相当于一枚为魂术师量身定做的棋子，使用得好的话，可以在任何危险的战斗场合，全身而退。是一件虽然不能伤敌，却绝对能保命的魂器。

银尘暗自庆幸，自己刚刚把这枚魂器留在了外面，否则，自己已经被刚刚那些白色的枯草一样的东西吞噬了。还好自己的天赋使得自己可以拥有无限多的魂器，换了别的魂术师，只怕已经命丧刚刚的白色草丝之中了。

他突然想起鬼山莲泉说的话，她说，也许真的冥冥之中注定了他们拥有解救吉尔伽美什的使命，他们的天赋、他们的魂器，都像是命中注定般地，一一击破看起来无懈可击的道道囚禁封印，拯救他们于濒死的边缘。想到这里，银尘不知道鬼山莲泉在上面一层尤图尔遗迹情况如何，她大量失血之后，就算是拥有西流尔永生的天赋，也需要一段不短的时间才能恢复吧。好在这个时候，尤图尔遗迹里面空无一人，之前数万亡灵也已经无影无踪。想来，她应该暂时是安全的。

银尘坐在石碑下休息，缓慢恢复着身体里的魂力。他发现，在洞穴的外面，还是有黄金魂雾存在的，自己的魂力持续地在恢复。那么，为什么刚刚的洞穴里，会没有任何的黄金魂雾呢？按道理说，黄金魂雾的扩散和渗透，不会被任何的介质阻挡，无论是气体液体固体，黄金魂雾都能渗透扩散其中，整个亚斯兰领域上，只可能有魂雾浓度高低的区分，但是不可能存在一个地方是彻底没有任何黄金魂雾的。而且，最奇怪的是，就算整个洞穴里因为某种原因而呈现出魂雾空洞的状态，那么，为什么连自己体内的魂力都彻底地消失了？如果是人为的因素，那么按照自己魂术的级别，不可能有人能够强大到可以突破自己身体的屏障而攫取走自己的所有魂力啊。

那看来，一定是自己低估了刚才满地的白色枯草样的东西。

银尘仔细回忆了一下，亚斯兰的领域上，自己从来没有听说过这种白色的能够攫取人魂力的植物，甚至那种东西不能说是植物，因为它们攀爬吸附自己的双腿时，完全像是吸血的水蛭般，牢牢抓住人的皮肤，而且银尘可以感觉到，它们刺进人肉体的那些尖刺，在人的肌肉里，可以迅速地繁殖生长，如同冬虫夏草的根系一样，快速地蚕食整个寄主的肉身。

休息了一会儿之后，银尘感觉了一下体内的魂力，此刻重新回到了充沛的满值。

他思考了一下，闭上眼睛，空气里，一颗浑圆的金黄色小球浮动出来，他伸出手，小心地将它握进手心。同时浮现在空气里的，还有刚刚救了银尘一命的定身骨刺。他走到石碑下面，伸手将定身骨刺再一次放进石板上的凹槽，当古老的锥刺再一次被冰块凝固在石槽里，面前的大门再一次轰然打开了。

直到此刻，银尘才真正知道了，“白色地狱”的含义。但是，他没有任何犹豫，再次走进了黑暗的洞穴。

走进洞穴大概五六步的距离之后，就可以看见，地面已经出现了零星的白色草丝，之后，越往深处，越密集。再往前，就几乎看不见黑色的石块地面了，只剩下厚厚的白色枯草铺满了整个洞穴。

银尘没有迈步，站在洞穴的入口，他依然先将护心镜悬挂在空中照明，然后他抬起手释放出一根长枪，朝前投掷出去，长枪铿锵一声，刺进地面，转眼之间，地面那些看似枯萎的白色草丝，哗啦啦地全部苏醒，再一次变成蚯蚓般的活物，沿着长枪的枪柄缠绕而上，长枪上本来一直笼罩着的光芒，两三秒钟之后，就彻底地熄灭下去。银尘瞳孔一紧，铿然一声，长枪重新幻化成几缕呼啸的光影，回到银尘身体里。

“看来果然是这些地面生长的白色草丝。”银尘心里小声说道。

他抬起头看了下四周的石壁，还好，没有白色的草丝覆盖。他想了想，再次用力握了握手心里那颗金黄色的圆球，然后，他身形一动，仿佛一只滑翔的白鹤，动作矫健而轻快地沿着石壁快速地朝洞内攀爬而去，他的衣摆被风吹动，猎猎作响，那盏发出光亮的护心镜，追随着他快如闪电的身影，朝洞内飞快地射去。

然而，银尘并没有看见自己的身后，之前石壁上那些密密麻麻的白色针尖一样的圆点，此刻，仿佛蔓延的暴风雪一样，肆无忌惮地扩散开来，每一颗细小的针尖圆点，瞬间从石壁里喷射而出，变成疯狂摇曳的白色草丝。无边无际的草丝在洞穴的石壁上被风吹动着，看起来像是无数死人的白色头发，它们疯狂地甩动着，朝银尘席卷而去。

身后那种密密麻麻的声音越来越近，仿佛千万只蚂蚁在啃食骨头的声响，银尘回过头，看见无数仿佛白色长发般朝自己疯狂蹿动过来的草丝，瞳孔骤然锁紧，他的身形不敢有任何迟缓，加快速度朝洞穴深处掠去，突然他眼前一花，前方的石壁上，一大团白色的草丝爆炸而出，迎面朝他刺来，他凌空硬生生掉转身形，朝对面的石壁跃去，双手刚一接触到对面的石壁，他就听见石壁上密密麻麻的蚂蚁般的声响再次响起，他知道，整个洞穴的草丝都已经被触发得全面苏醒，他不顾一切地往里面冲，他知道，只有这一个办法，可以营救吉尔伽美什，但是，他到底在哪儿？

洞穴在前方骤然放大，迎面一个巨大的空间，银尘挥舞着双手，护心镜朝前方飞快激射，他瞳孔一紧，护心镜的光芒瞬间汹涌而出，将整个黑暗的洞穴照亮，在银白色的光芒下，银尘看见，空旷的洞穴中央，一个双臂被钉在石柱上的熟悉的身影骤然出现在视线里。那人低着头，面目看不清楚，看起来仿佛陷入了永恒的沉睡，然而，不需要看清楚眉目，银尘也能知道，他就是自己寻找了整整四年的吉尔伽美什。他的下半身被无数的白色草丝缠绕着，仿佛被蜘蛛丝包裹成的一个茧，他的上半身赤裸着，上面攀爬着一缕缕的草丝，每根草丝都将它们锐利的根系扎进了他的身体，吸食着他的血液，以至于他下半身的那些本来白色的枯草，看起来都呈现着血红的色泽……银尘的眼泪瞬间涌出眼眶，他刚要从喉咙里发出喊声，突然，他的脚踝上就传来锥心的刺痛。他整个人从石壁上重重地跌落到地上。

转眼之间，整个洞穴响起密密麻麻的尖叫，仿佛成千上万只昆虫同时被烈火灼烧时的惨叫声，视线里都是疯狂舞动的仿佛白色幽灵般的草丝，银尘跌落在地上，地面上数不清的白色蚯蚓般的怪物将他浑身缠绕起来，无数冰冷锋利的尖刺扎进他的肉体，然后疯狂地繁殖。

然而，银尘的表情看起来却没有丝毫的痛苦，他的目光里呈现着一种仿佛星辰般恒久的坚定，他知道自己身体里的魂力正在疯狂地被吞噬，然而，他依然靠着人类肉体的力量，一步一步朝吉尔伽美什的方向爬去。那些白色的草丝更加用力地撕扯着他，阻挡着他的前进，甚至每一根草都像是有了生命般，发出歇斯底里的尖叫声来，它们瞬间变得更加粗壮，更加锋利多刺，更加有力……一切都是为了阻止银尘靠近吉尔伽美什。

每前进一步，银尘体内都撕扯出钻心的尖锐痛感，他的右手紧紧握着那枚金黄色的小球，无数白色的草丝企图钻进他的右手，他始终牢牢握着，没有丝毫的松开，那些仿佛锯条般的草丝，疯狂地撕扯啃咬着他握紧的拳头，银尘的手背上早已经变得血肉模糊，一会儿之后，他的右手只剩下了森然的白骨，但是，他的拳头依然握得很紧，他清楚地知道，他体内的魂力已经彻底消失了，他已经无法再使用定身骨刺离开这里了！

他的视线开始模糊，身体的痛感反倒已经变得无关紧要了。他并不知道此刻自己的双腿和腹部腰部上都已经血肉模糊，被白色草丝蚕食得处处深可见骨。他的鲜血汩汩地从身体里流淌出来，浸染了一大片枯草，看起来仿佛雪地上盛开的一朵灿然的红色莲花。他的胸腔已经渐渐被那些尖锐的根系占领，无法呼吸，好像整个人都被阴森的鬼魅拉扯着，朝着黑暗的地狱里坠落，头顶的护心镜不知道何时已经坠落了，只剩下微弱的光芒，照出前方几乎近在咫尺的吉尔伽美什的模糊轮廓。

银尘伸出手，一寸一寸地朝吉尔伽美什伸过去，他知道，只要将这枚【黄金源泉】埋进吉尔伽美什的体内，那么，从里面汹涌而出的黄金魂雾，就一定能将他唤醒，以吉尔伽美什的高超魂术，就算只有一点点的黄金魂雾，他也能将其发挥出惊天动地的效果。银尘伸出去的手臂颤抖着，却始终离吉尔伽美什的身体有几寸的距离，他的视线已经模糊成一片，呼吸渐渐停止，他脑子里开始出现濒死时的各种苍白的鬼影。

突然，他右脚地面上尖叫着翻出几根手腕粗细，看起来如同几条迅捷的白色毒蛇般的草丝，将他的右脚狠狠缠住，朝后面拉扯，银尘望着面前的吉尔伽美什，他低垂的面容呈现着熟睡的样子，看起来那么尊贵，那么美，仿佛传说中的那些沉睡的、没有凡人爱恨嗔痴、永远宁静的神祇。银尘胸口突然涌起一阵无法抵挡的悲伤，从来冰雪面容、宠辱不惊的他此刻竟然忍不住嗡嗡地大哭起来，但因为他的胸膛已经不能起伏，所以他发不出太大的声音，他滚烫的眼泪一滴一滴地流在他血肉模糊的脸上，他的呜咽听起来又小声又模糊，仿佛某种小动物死前的哀号，“让我救你……让我救你啊……王爵！你醒醒，你看看我！我找到你了……”他的眼泪混合着他的血液，烧烫了他的双眼，他仿佛重新变回了当初年幼的自己，他完全忘记了自己已经是尊贵的王爵，这么多年，他一直都在心里将自己当做是当年的小小使徒，他只记得眼前的吉尔伽美什，他心中永远的王爵。

银尘转过头，看着疯狂啃噬着自己右脚的那几条白色草藤，他咬紧牙，用尽最后的力气将右腿一拧，“咔嚓”一声骨头断裂的声响，他将本来就已经血肉碎裂的右腿硬生生从膝盖处折断了，那几条白色的草藤一松，银尘趁着最后的清醒的意志和体力，将只剩下白骨的右手，朝吉尔伽美什的身体用力地伸过去。

下一个瞬间，银尘两眼一黑，失去了全部的知觉。在他生命最后的感知里，周围都是呼啸的尖锐风声，仿佛有成千上万的柔软刀刃在旋转切割着，风里有数不清的怪物的尖叫声，像是地狱之门洞开，无数亡灵汹涌而出，吞噬着整个天地。他感觉自己最后也变成了成千上万个鬼叫着的亡灵之一，沉重地，坠入了永恒的地狱之门。

【西之亚斯蓝帝国 · 心脏】

“啊——”正在和幽花聊天的麒零，突然发出一阵短促的惊呼，然后，他的双眼就直直地望着前方，像是突然间被人偷走了魂魄一样。

“喂，你怎么了？”天束幽花吓了一跳，从椅子上起身，走到麒零面前，在他苍白的面孔前面上下舞动双手。

麒零从失神里被唤醒，他转过头，定定地看着天束幽花，他不知道该怎么来形容自己的感觉，只觉得突然间，爵印处传来的那种异样的感觉，那感觉就像是……

“我感觉……”麒零的双眼瞬间涌起泪光，他的声音一下子哽咽了，“银尘是不是……死了……”

“你不要乱讲。”天束幽花被他吓了一跳，但是，她的脸色也迅速苍白起来。因为她明白，使徒和王爵之间的感应，是最不容易出错的。

“我感觉……像是他突然消失了，去了一个很远的地方，我感觉不到他了……”麒零看着幽花，他少年俊朗的脸上，突然涌起揪人的悲伤，他的双眼里堆满了泪水，看起来像是被抛弃了的动物一样，有一种茫然失措的惶恐。“不行……我要去找他，我得去找他。”麒零恍恍惚惚地站起来，根本没有注意到他的眼泪大颗大颗地滚出了眼眶。

“你站住，白银祭司的使者刚刚下了命令让我们在房间里等候通知，你现在怎么能出去？你这不是违抗命令么？”天束幽花急了，一把拉住他。

“我管他屁的白银祭司！银尘如果……死了，谁他妈稀罕做什么王爵！”麒零双眼通红，他不管天束幽花拉扯着自己，执意朝门口走去，他的力气那么大，那么固执，把幽花都吓住了。

麒零一把拉开房间的大门，迎面撞到两个一直站在门口的白银使者，“让我出去！”麒零大声吼道，他的声音里充满着焦急和暴躁。

“白银祭司让你们在房间等候。不能随意离开。”白银使者的声音像冰一样冷，没有任何回旋的余地。

“嗡——”空气里尖锐的一声龙吟，麒零瞬间已经将他的半刃巨剑拿在手里，“你们给我滚开！”他抬起巨大的剑身，朝两个人劈过去。

“轰隆——”麒零的身体重重地摔回房间里，撞到一具柜子上，坚实的木头碎成了好几块。

“你们！竟然敢对使徒动手！”天束幽花看着倒在地上痛得蜷缩起来的麒零，瞬间怒火往上蹿，空气里一阵光影晃动，“锵！锵！锵！”三枚冰箭瞬间以雷霆般的速度激射向白银使者，天束幽花手里的【冰弓】铿然作响。

然而，白银使者身形突然展动，仿佛鬼魅一般，还没来得及看清楚，天束幽花只觉得眼前视线一乱，一个人影就蹿动到自己面前，伸出手在自己胸口重重一击，她整个人仿佛被一面巨石砸中一样，朝后面撞去。

麒零看着倒地的天束幽花，两眼通红，他挥舞着巨剑，朝两个白银使者再一次冲过去。然而，这一次，白银使者双手一挥，空气里不知道什么地方，哗啦啦蹿出无数白银铁索，将麒零一圈一圈缠绕起来，麒零只觉得双膝一沉，整个人重重地朝前摔下去，他的脸砸在地板上。

天束幽花刚要挣扎着起身，沉重的锁链也将她的四肢重重地捆绑在一起。

麒零趴在地上，脸贴在冰冷的地面，他的泪水模糊了他的面容，他挣扎着，双手被锁链捆着，于是他只能挪动着身体，艰难地朝门口的白银使者爬过去，他爬到了白银使者的脚边，他抬起头，望着他们笼罩在兜帽阴影下的冰冷的面容，大声哭着，说："我求求你们了……你们现在放我出去，我要去找银尘……呜呜呜……他可能已经死了……我求你们了，我不跑，我一定回来，只要让我找到他，知道他没事，我立刻回来，无论白银祭司要我干什么，我都去，去死我也去……呜呜……我求你们了……"

"麒零！你给我有点儿出息！你别求他们！你是使徒啊你！"天束幽花的眼泪从眼眶里滚滚而出，她咬着牙齿，目光里充满了恨意，她看着两个白银使者，说："你们两个给我记住，我天束幽花，此生一定要把你们两个碎尸万段！"

"我求你们了……我给你们磕头，我赔罪，我不该对你们动手……"麒零的身体紧紧被锁链捆着，他只能一下一下地把头往坚硬的地面上撞，他宽阔的额头上，几丝鲜血流过他高高的鼻梁，"只要你们让我出去……我求你们啦……"他的声音嘶哑低沉，完全不像一个少年，天束幽花听在耳朵里，心都碎了。

白银使者互相看了一眼，犹豫了一下，然后抬起脚踩到他的脸上。

"畜生！！"天束幽花撕心裂肺地吼着，她挣扎着身体，但是却丝毫无法动弹，她的泪水源源不断地涌出来，泪光里，麒零趴在地上没有动了，他的脸上是死灰般的寂然，瞳孔里的那种绝望，像是把他所有的生命力都吞噬了。那个活泼的少年，那个永远英姿勃发的少年，此刻趴在地上，任人用鞋子踩在他俊朗的脸上，一动不动，他的嘴里喃喃自语地说着什么，听不清楚。只有他凹陷的眼眶里，泪水汹涌地染湿了地面。她想起当初，为了救麒零，银尘也不惜向自己下跪，向自己磕头。而此刻的麒零，也是一样。也许她永远都没有机会体会这种王爵使徒间的情感了，因为她的王爵，也是她的父亲，已经不在了。

而下一个瞬间，天束幽花的瞳孔骤然缩小，因为她终于知道了为什么，麒零放弃了所有的抵抗。

——因为，除了天束幽花之外，就连门口的两个白银使者，也感受到了，此刻麒零体内正在迅速复制的一套新的魂路，汹涌的魂力正在全面改造他的身体，无数崭新的魂路如同经络般密密麻麻地划分着他的身体。

他正在诞生为新的七度王爵。

【西之亚斯蓝帝国 · 囚禁之地】

光线消失了。声音消失了。痛觉也消失了。

最后浮现在银尘脑海里的，是吉尔伽美什那张永远尊贵而美好的面容。他熟睡的神态，他安静的身影，在银尘渐渐放大、最终凝固不动的瞳孔里，成为了永恒的剪影——直到最后，他的双眼依然紧闭着，没有睁开眼睛来看看诀别了多年的自己。

“就算拯救不出他来，那么和他一起被永远囚禁着，或者死在一起，也好啊。”银尘在高高的山崖上，迎着风，含着眼泪微笑着说。

当时，他脸上的表情，不是绝望，不是悲痛，不是愤怒，也不是怨恨。

而是一种带着悲伤的期待。

第二十三章

浆　芝

三个一模一样的“银尘”
已经从石室里退下了。
没有人知道他们去往了何处。
他们漆黑而阴森的样子，
活像三个来自地狱的鬼魅，
也许此刻又重新回到地底了也说不定。

【西之亚斯蓝帝国 · 格兰尔特 · 心脏】

三个一模一样的“银尘”已经从石室里退下了。没有人知道他们去往了何处。他们漆黑而阴森的样子，活像三个来自地狱的鬼魅，也许此刻又重新回到地底了也说不定。

但是阴森的感觉依然笼罩着石室里的每一个人。

特蕾娅的脸色依然惨白一片，毫无血色。她的目光一直闪烁着，没有人知道她在想什么。她的脑海里此刻飞速地回忆着种种片段，仿佛无形中有一根看不见的绳子，将一切匪夷所思的事情，和这几年来发生的种种变故，穿在了一起。她有一种感觉，她几乎快要触摸到亚斯蓝最大的秘密了，但是，目前这根绳子还没有完全显形，依然是透明的，所以，一切都还没有完全理顺。

“我想带你们去一个地方。这个地方，之前，从来没有对任何王爵公开过。所以，你们即将看到的，是属于亚斯蓝最高权限的机密。走出这个石室，会有白银使者带领你们，你们只需要跟随着他去就行。我会在那个地方等你们。”话音刚落，石室里幽然的蓝光就瞬间消失了。巨大的水晶墙面，再次变成了坚硬的石壁。

前面带路的白银使者，始终把面容隐藏在他深深的兜帽里。特蕾娅心里那股阴森的感觉始终没有散去，她甚至错觉前面带路的这个人，也长着一张和银尘一模一样的脸。甚至有可能，整个心脏里几百个白银使者，都是银尘。

想到这里，特蕾娅打了个寒战。她回过头看了看幽冥，他沉默着，目光仿佛钩子般，紧紧抓住前面白银使者的背影。

特蕾娅收回目光，闭上眼睛，然后再次睁开的时候，她瞳孔里，就已经是一片白色的风暴了。她一边随着幽冥、漆拉往地底深处走，一边将她魂力感知的天赋启动到了最大限度，然而，她的探知魂力，却处处受阻，感觉像是被关在了一个狭小空间里的八爪章鱼，无论触角有多长，都无法伸展，这个地底看似畅通无阻，但每一层甚至每一个地方，都布满了阻挡魂力的封印。

特蕾娅只能放弃，默默地跟随着，往前走去。

下了大概六层，他们来到了一个看起来类似峡谷山洞入口的地方。白银使者走到入口处，有另外一位同样穿着长袍斗篷，戴着兜帽，无法看见面容的白银使者等候在门口，他们两个人交头小声说了几句什么，然后，刚刚带领他们过来的那位白银使者，转身冲他们点了点头，什么话也没说，就消失在黑暗里了。

新的那个白银使者朝三个人走过来，他嘶哑的声音在黑暗里响起，“三位王爵，很荣幸为你们带路。你们即将前往的地方，被称为【原浆洞穴】，这是亚斯蓝领域上，目前最高权限才能获取的机密所在之一。进入原浆洞穴之后，请不要随意使用任何魂力，也请将你们所有的魂器魂兽，封印在你们的体内，否则，所有的白银使者有权力随时对你们进行必要的行动。”他停了停，继续说，“包括在必要情况下，对你们的杀戮。”

幽冥瞳孔一紧，作为杀戮王爵的他，竟然被人威胁着杀戮，这难道不是笑话么？他邪邪地笑了，冰冷的声音在黑暗里如同出鞘的剑锋，“你说什么？再说一遍。”

白银使者转过脸来看着他，兜帽下的阴影里，两只眼睛闪烁着阴森的光芒，他没有丝毫畏惧，不动声色地将刚刚的话又重复了一遍，“包括在必要情况下，对你们的杀戮。”

幽冥沉默着，不再开口说话。

白银使者看起来很满意这个答案，于是他转过身，“请随我来。”

走入峡谷之后，道路依然非常狭窄，一行人只能一个一个地依次通过两道崖壁间狭小的空间，无法并行。

大约走了十多分钟之后，一个巨大的山洞豁然出现在眼前。随之扑面而来的，是剧烈的潮湿热气，和热气里一种让人忍不住想呕吐的味道——仿佛是无数散发着黏液的肉块混合在一起的味道，又像是女体子宫内的腥臭气息。特蕾娅抬起手，捂住鼻子。

视线尽头，传来隐隐的暗红色光芒，看起来说不出的邪乎。

特蕾娅侧过脸，小声地对幽冥说：“亚斯蓝的地下，不可能有岩浆或者火的元素，怎么会有红光呢？”

幽冥摇摇头，眉眼间笼罩着更深的黑暗。

漆拉走在他们身后，表情上看不出任何情绪。

“到了。”白银使者停下来。

他们此刻站在一座横跨在半空的桥梁上，四周都是垂直的山崖，而脚下，是一个暗红色的、看起来仿佛沼泽一样的坑洞。红色浆液般的水面上，不时冒出一个巨大的气泡，破裂的瞬间，一股剧烈的催人欲呕的味道翻涌而上。刚刚的隧道一路通往这里，看起来这里就是尽头了。

“什么东西，这么恶心？”特蕾娅掩住鼻子，不耐烦地问道，“你到底要带我们来看什么？”

白银使者轻轻笑了一声，说：“请三位王爵稍候，马上就可以知道了。”

特蕾娅只好不再说话，静静地等待着。在这个过程里，她再一次企图探知这个空间里的魂力分布，然而，不出所料，失败了。周围密密麻麻全部都是白银祭司设下的魂力封印，特蕾娅的感知连周围的山崖石壁都无法穿透。

正当特蕾娅把魂力收回，瞳孔变回清澈时，石桥下面的沼泽，开始汩汩地翻涌起来，黏稠的暗红色浆液表面，缓慢地隆起，仿佛有什么庞然大物正在从下面觉醒。特蕾娅低下头，然后，她忍不住弯下腰呕吐了起来。

幽冥强忍着内心的恐惧，瞳孔颤抖着，目睹着从暗红色浆液里浮出来的那个……那个不知道应该称呼为什么的东西。一个看起来足有正常人三倍大小的巨大而赤裸的女体从浆液表面最先涌动出来，她的头发湿淋淋地被浆液黏在身体上，本该具有五官的巨大脸上，却没有眼睛没有眉毛没有鼻梁，只在嘴的位置，留下了一个凹陷的血洞，那个血洞里，此刻正不断发出类似又痛苦又快乐的诡异的惨叫声。然而，这并不是让特蕾娅呕吐的原因。真正的原因在于，当那个女体浮出水面之后，她的下身，也暴露出了水面——那是一大团蠕动着的白色软肉，如同一整条巨大的肉虫，接在了她的身下，她整个下体就是这样一个纺锤形的肉虫，上面一环一环隆起的褶皱，不停地收缩着，蠕动着，她看起来仿佛就是白蚁巢穴里的那个肥硕蚁后。虫身最下方，一个巨大的血洞，正在越开越大，随着那些褶皱不断地蠕动收缩，女体的惨叫声越来越大，幽冥突然明白过来，这个怪物，正在分娩！

一个人头一点儿一点儿地，从那个巨大的血洞里排泄出来，然后整个身体，完全地排出了体外，那具仿佛胎儿般的新生肉体，此刻静静地漂浮在黏稠的红色浆液上面。而巨大的女体停止了呻吟，巨大的虫身，也停止了蠕动。

幽冥的瞳孔缩紧成一条缝隙，不停地颤抖，因为，他终于明白了之前三个一模一样的银尘，来自于哪里。

血浆中，从女体分娩出来的，并不是一个年幼的胎儿，而已经是一个成年人的形体。修长而有力的四肢，宽阔的胸膛，结实的肌肉不时鼓动着，最重要的，是他那张精致而冰冷的脸，虽然此刻被红色的血浆覆盖得看不真切，而且双眼还未睁开，依然沉睡着，但是，幽冥和特蕾娅，以及漆拉，都能够百分之百地确认，那张熟悉的面容。

躺在血浆里的，崭新的银尘。

两个白银使者，从原浆里将依然还在沉睡的那个刚刚诞生的“银尘”迅速打捞起来，运出了洞穴，不知道送往了什么地方。

漆拉和幽冥依然沉浸在震惊之中，完全沉默了。

特蕾娅蹲在地上，弯着腰，时不时地呕吐。

“看来各位确实是被震惊了。”白银使者的声音在整个巨大的山内洞穴里响起，“刚刚也和你们说了，这是亚斯蓝帝国内，权限最高的机密之一。接下来，我将代表白银祭司，向各位传达信息，以供解除各位疑惑之用。如果之后还有不清楚之处，请各位再找机会，当面询问祭司。我的权限，只到这里了。”

白银使者说到这里，停了下来，望着面前三个曾经目空一切、纵横天下的王爵，此刻他们都沉浸在巨大的震惊之中，脸上是茫然而又害怕的神色，再也没有了之前的冰雪高傲。

“刚刚你们看见的，那个可以分娩出‘高级容器’的生物，叫做【浆芝】，她属于半植物半动物属性，身体的外形兼具女性和昆虫的特点。她没有思想，只有生殖的功能。她能够将种植进她母体内的肉体碎片，复制孕育出和提供肉体碎片的原体一样的复制品，提供的肉体碎片越多越完整，越能复制得近乎百分之百相同。她的强大之处在于，无论原体的肉体是否已经死亡，甚至无论是否已经切割得分不出手脚，只要肉体本身完整，碎片没有丢失，那么，浆芝都能再造出一个，几乎完全一样的肉体。”

“这些肉体，用来做什么？”特蕾娅目光闪动。

“用来让白银祭司种植最新的灵魂回路，以保持亚斯蓝的战斗实力，一直持续进化。”白银使者看着特蕾娅，阴影下，他的嘴角轻轻一斜，“其实，这和侵蚀者的制造，不是非常类似么？特蕾娅王爵，您不应该感到陌生才对啊。”

特蕾娅牙齿一咬，面色笼上一层寒霜，“那为什么，复制出来的都是银尘？他的身体，有什么特别的？”

“因为银尘的身体，是目前整个亚斯蓝领域上，我们所寻找到的，最接近吉尔伽美什身体构造的原体。”

“你们从什么时候开始复制银尘的身体的？”特蕾娅问道。

“你应该最清楚呀，特蕾娅王爵，”白银使者笑了笑，声音在空旷的山洞里回荡，听起来特别诡异，“当初可是你眼睁睁看着他被斩成碎片的呀。那一堆碎片，就是我们最开始的原体。”

“那当时是谁将银尘的尸体运回心脏的？”幽冥问道，“我去寻找特蕾娅的时候，银尘的尸体还留在湖边，没有人答理，已经快要腐烂了。”

“将银尘的尸体运回来的人，是亚斯蓝权力的最高者，冰帝艾欧斯。”白银使者说到这个名字的时候，语气明显变得尊敬了起来。

“竟然是他……”特蕾娅显然没有想到，她停了停，语气再一次变得疑惑起来，“但刚刚看来，分娩出来的你们称呼为‘高级容器’的肉体，是不具有意识的吧？那么，如果按照你们的说法，是在银尘被杀死之后，才开始复制的，那么，为什么那个曾经作为天之使徒的银尘还会有记忆？等于是他重新复活了？难道你们能够连记忆也一起复制？”

“不能。”白银使者淡淡地回答，“但是，艾欧斯有一个属于他独一无二的天赋，【摄魂】。”

“什么意思？”特蕾娅问。

“这个不在我的解答权限范围之内了。我已经说得有点儿多了。如果有机会见到白银祭司，你可以亲自问他们。”白银使者的脸重新隐到兜帽的阴影中去了。

【西之亚斯蓝帝国 · 天格内部】

特蕾娅依然斜斜地侧躺在她的那个挂满帷幔的软榻上，她的裙摆分衩之处，露出两条雪白而修长的腿，充满弹性而又柔软，任何男人看到，都很难不动心。

然而，此刻，斜躺在她身边的幽冥，眼睛却完全没有看着风情万种的特蕾娅，他那双仿佛隐藏在眉骨阴影里的修长双眼，此刻正闪动着幽绿色的光芒。

整间空旷的房间，除了摇动的烛火之外，没有任何的光源。此刻，所有的侍卫和侍女，也都已经退下。整个房间里，只有他们两个。两个人在黑暗里沉默了很久，脑海里依然是刚刚在原浆洞穴里看见的骇人场景，那翻涌着的红色黏稠浆液，那巨大的虫身女体。

幽冥的喉结上下滚动着，低沉而有磁性的声音在房间里回荡起来，“对于目前的状况，你有什么想法？”

“我的思绪现在也很乱，感觉整个事态的发展，已经远远超过了我们的预计。而且，这中间有很多之前没有想明白的事情，我现在也差不多能够摸到一个大概了。但是有一些关键的地方，总感觉是断开的，缺少最关键的几个链条。”特蕾娅的瞳孔里，闪烁着跳动的烛火。

“比如呢？”

“比如我刚刚得到的一个情报，就让我推翻了之前我认为漆拉是站在吉尔伽美什一边的结论。”

“什么情报？”

“魂塚里的那两枚出现问题的棋子，其实都是漆拉暗中调换的。”特蕾娅看着幽冥，一字一句地说。

“漆拉为什么要这么做？”幽冥的眉头皱得更深了。

“这要追溯到最开始，你接到指令，追杀鬼山莲泉和鬼山缝魂，而我接到指令，同时传递‘夺取回生锁链作为魂器’的这个讯息给鬼山莲泉和天束幽花两个使徒的时候。那个时候，我们接到的指令，是说鬼山缝魂和鬼山莲泉叛变了，但究竟真相如何，我们并不清楚。现在看来，追杀鬼山兄妹也好，让莲泉和幽花自相残杀也罢，都只是为了一个目的。”

幽冥没有打断她的话，因为他知道，此刻，她正在抽丝剥茧，快要寻找到整件事情背后的最终机密了。

“同样，漆拉暗中调换棋子，肯定也是白银祭司的指令，这一切都是为了那个目的，那就是：阻止吉尔伽美什的复活，同时猎杀曾经属于吉尔伽美什的阵营。”

“但是，既然要猎杀，为什么不当初就彻底杀掉吉尔伽美什，或者杀掉银尘呢？干吗还要继续复活银尘，甚至给予他崭新的灵魂回路，成为七度王爵？”

“因为当初吉尔伽美什被彻底囚禁之后，拥有打开‘血池’封印天赋的西流尔也等于被永远囚禁在了那座岛上，当初知道真相的人，也只剩下漆拉、你、我三人。如果不是因为这个秘密外泄，那么，一切都风平浪静，那场浩劫也会渐渐被人们所遗忘，成为永久的秘密。”

幽冥问：“你说的秘密外泄，是指鬼山缝魂和鬼山莲泉号称在深渊回廊里遇见了白银祭司，白银祭司亲自泄露了这个秘密？”

特蕾娅回答道：“是的。刚开始的时候，我并不相信这个传言。因为谁都知道，白银祭司从千万年前诞生之初开始，就没有离开过格兰尔特心脏下的巨大水晶区域，无论是他们本身不愿意离开也好，或者他们的身体被限制着，不能离开也罢，从历史上有过的记载来说，‘在深渊回廊里遇见白银祭司’这件事情，本身就很荒谬。然而，当后来事态越来越往难以控制的局面发展，并且，白银祭司下达给我们的指令越来越多，且级别越来越高，最后发展到展开对鬼山兄妹、银尘、麒零、天束幽花等人的集体杀戮，我就知道，事情肯定远远不只我们知道的那么简单了。也许那个传言，是真的……”

“那就是说，当初对吉尔伽美什设下那个无懈可击的猎杀计划，原因并不是如同白银祭司所说的，吉尔伽美什有叛变的可能？”幽冥望着特蕾娅，忍不住问道，“不过话说回来，我在那场战役里，只负责对付那些凶猛的魂兽，真正参与猎杀吉尔伽美什的，只是你和漆拉两个人，说实话，一直到现在，我都没有问你，你们到底怎么做到的？以吉尔伽美什的魂力和他具备的天赋，还有他那几乎无人可比的顶级魂器来说，你们不可能将他囚禁的啊。”

特蕾娅目光闪动着，仿佛沉浸在无边无际的回忆里，“当初定下这个计划的时候，本来我们所有参与行动的人，都认为这个行动成功的可能性几乎为零。那个时候，谁都知道吉尔伽美什纵横整个亚斯蓝，甚至在整个奥汀大陆上，都处于近乎巅峰的位置。那个时候，要不是漆拉提出了这样一个匪夷所思却又无懈可击的计划，我是绝对不会参加那次猎捕行动的。”

“那场行动里，我只知道部分，并不知道核心，当我从战斗中清醒过来时，一切都已经结束了，吉尔伽美什已经被送进了传说中你们为他准备的监牢里，而且就再也没有出来过。之后我也问过你，但是你说，我的权限范围没有到，所以没有告诉我。我还在奇怪，我堂堂一个二度王爵，仅次于修川地藏，怎么会权限没有到呢？”

“那次猎杀行动，正因为难度高，而核心内容更是只要稍微泄露，就绝对无法成功，所以，那一次行动，真正知道全过程的，只有漆拉一个人。我也是后来，在几次和白银祭司的交流中，无意中知道整个过程的。你也知道，以吉尔伽美什的魂力来说，无论宽恕或者自由怎么重创他，只要他不死，凭借他对魂力精纯到巅峰的控制力和他那几乎压倒性强大的魂器，他就算只剩下一丝一毫的魂力，要想囚禁他，都几乎是难以完成的任务。所以，我们一切的赌注，都压到了那一个短暂的瞬间——他魂力中断的瞬间。”

“魂力中断？你是指……”幽冥皱起了眉头。

“对，你猜得没错。魂术师在猎捕魂兽的时候，当最后成功将魂兽捕获，把魂兽转化为能量体，收服在爵印之中时，这个瞬间，会有非常短暂的魂力中断，因为魂兽在最开始进入爵印的时候，是无序而凶猛的，这个时候，身体内所有的魂力，都无法按照之前正常的魂路流动，直到魂兽在爵印中安静下来，全身的魂力运转才恢复正常。而漆拉，就是趁着这一个瞬间，将吉尔伽美什，用一枚棋子，直接送进了为他准备好的，囚禁之地。”

“但一旦吉尔伽美什的魂力恢复，那无论什么样的地方，都很难囚禁住他吧？他到底关在什么地方？”幽冥问。

“吉尔伽美什关在西流尔岛屿之下的最深的地底。为了囚禁吉尔伽美什，白银祭司真的设下了一个可以用‘完美’来形容的监狱。第一层，是西流尔用王爵之身化成的肉体封印，因为西流尔的天赋是永生，所以也就使得这个封印拥有了近乎永恒的时间长度，第一层，已经足够厉害了。关键是第二层，第二层其实也就是魂塚，正是当年吉尔伽美什取得魂器审判之轮的地方，在没有打算将这里作为监狱之前，亚斯蓝四大魂兽之一的祝福，其实并不是在这里的，后来是通过种种复杂的手段，将祝福诱捕到这里，并将之封印在西流尔之下，这样，祝福就被动地扮演了第二层的守护封印。至于第三层，则是尤图尔遗迹，之前，尤图尔遗迹就一直聚集着数以万计的亡灵，它们在那里，是为了守护一件对亚斯蓝来说至关重要的东西，但是，当白银祭司决定将这里作为囚禁吉尔伽美什的监狱之后，这些数以万计的亡灵，随即转变了职能，变成了看守吉尔伽美什的守狱人。而这一层，同样也设下了强力的启动封印，要启动通往下一层的棋子，只有放满一池鲜血——而谁都知道，唯一拥有这个本事的人，西流尔，已经和第一层的岛屿融为一体了，所以，从某种意义上来说，这个封印很难被开启。而最后一层，在进入最后的洞穴之前，还设下了最后的一个封印，那就是，进入者必先舍弃自己的魂器。而洞穴深处，种植满了亚斯蓝领域上最邪恶的植被，【鬼面女之发】，这种植被，能够迅速将所有出现在它们范围内的黄金魂雾，包括人体内的已经变为魂力的黄金魂雾，吸收干净，并且吞噬血肉。这样，就算去的人带着能产生黄金魂雾的魂器，那么在门口，都必须先舍弃魂器，才能进入。这样，就万无一失了。

“然而，白银祭司万万没想到，虽然当年西流尔的使徒，也就是他的妻子，在天束幽花生产的过程里死去了，但是，却没有想到，天束幽花通过胎盘里留下的魂路轨迹，天生拥有了这样的天赋……

“所以这也是白银祭司下令让我传达给天束幽花和鬼山莲泉同样的信息的原因，希望她们两个自相残杀。而且，为了以防万一，还让漆拉调换了棋子，让所有的棋子都通往下一层尤图尔遗迹，这样，面对所有的亡灵，他们必死无疑。”

“但是不对啊，如果说棋子是漆拉调换的，那他为什么还要再一次进入尤图尔遗迹里面，去把他们几个救出来呢？直接让他们死在里面，不就了事了么？”幽冥突然想到这里，又重新疑惑了起来。

“这正是白银祭司思维缜密的地方。三个小小的使徒，真的想不留痕迹地杀死他们，那是轻而易举的事，无论是在尤图尔遗迹里死于亡灵之手，还是随便找个借口，秘密杀戮他们，都没有区别。但是，当接触过深渊回廊里的白银祭司从而有可能知道了当年囚禁吉尔伽美什秘密的鬼山莲泉、具有永生天赋的天束幽花，和具有无限魂器同调天赋的麒零，三个人同时出现在尤图尔遗迹的时候，对于白银祭司来说，实在是不敢轻易冒险让他们三个长时间在尤图尔遗迹里逗留，因为他们随时都有可能触发前往下一层囚禁之地的机关，虽然以三个使徒之力，不太可能营救出吉尔伽美什，但再小的可能性，白银祭司都不愿意冒险，最快的办法，就是赶紧带他们离开那里。”

“原来是这样……”幽冥沉默了会儿，然后说，“可能白银祭司自己，都没有料到会发生这么巧合的事情吧。”

特蕾娅刚要轻轻地微笑，但突然，她的双眼现出一片白色的气流，她转过脸，对着空气里一个黑暗的角落，轻轻地说：“有什么事？”

黑暗的角落里，一个年轻的男子声音传来，声音听上去完全没有任何感情，仿佛冰冷的金属，幽冥转过脸，朝那个角落望去，昏暗的光线里，那个男子看上去轮廓极其眼熟，但是，幽冥却有点儿想不起来到底在哪儿见过。

那个男子的声音说：“王爵，有几条最新的情报，需要向您转达。”

“你说。”特蕾娅的双眼依然维持着高魂力运转的征兆。

“情报是关于吉尔伽美什的，西流尔岛屿已经全范围崩塌，并且，吉尔伽美什已经从当初囚禁的牢狱里逃脱了，整个辽阔的雷恩海域，所有的黄金魂雾，都在以旋涡式的汹涌程度，朝着吉尔伽美什而去，他应该是在吸收储备，积累到他的峰值。这场黄金魂雾的旋涡风暴还在持续，谁都不知道吉尔伽美什魂力的上限是多少。目前，这条消息的准确度，被确认为百分之九十五以上。”

幽冥和特蕾娅的脸色惨白。吉尔伽美什既然成功逃狱，那么，当年参与猎杀他的自己，会成为他复仇的首要目标么？

幽冥盯着黑暗里的那个男子轮廓，总觉得很眼熟，而且有一种很异样的感觉，无法形容。

“那，营救吉尔伽美什出来的鬼山莲泉和银尘，目前下落如何？”特蕾娅目光闪动着，急切地问道。

“银尘已经死亡。”男子回答。

“准确度多少？”特蕾娅问。

“百分之百。”

“为什么这么肯定？找到尸体了么？”特蕾娅疑惑地挑起眉毛。

“不用找到尸体，因为，麒零已经诞生为最新的七度王爵，他身体里的魂路已经复制完成。魂路的复制，必然是以王爵死亡为代价的。因此，可以百分之百地确定。”

“那鬼山莲泉呢？”特蕾娅似乎对这个双身女爵非常感兴趣。

“她，不太妙。她被修川地藏的地之使徒从尤图尔遗迹里挟持回了帝都格兰尔特，此刻她正在心脏深处的某个地方，承受着巨大的痛苦。”

“承受着巨大的痛苦？”特蕾娅双眼的风暴再次强烈地席卷开来，过了一会儿，她的脸上呈现出一种扭曲的惧意，“原来如此，白银祭司真是不放过任何的可能性啊……那这样说起来……”她转过头，看着幽冥，目光恢复了清澈，但是取而代之的，却是一种怜悯，随即她转过头，继续问黑暗里的那个男子，“那这样看来，神音肯定也已经失踪了吧？”

“你说什么？！”幽冥突然坐起身子，他狭长的双眼仿佛猎鹰般射出精湛的光芒来。

“是的……”黑暗里的男子回答道，“神音也已经失踪了。不过根据我们的猜测，很可能，也是被修川地藏的使徒带走的。目前有可能，神音也在心脏里面。”

“你怎么会知道得这么清楚？”幽冥看着特蕾娅，表情冰冷里透着一丝严峻。

“你忘记神音自己悄悄去西流尔岛上寻找永生王爵的事情了么？她身体里的天赋，是可以通过承受敌人的攻击，而不断完善强化自己的灵魂回路，她企图能够得到西流尔永生的天赋，这样，她就能够肆无忌惮地在短时间承受大量的攻击，从而轻松地超越魂力的上限，成为亚斯蓝领域上魂力的巅峰。”

幽冥没有说话，他的双手握紧了拳头，看起来非常用力，手指关节的白骨隐隐可见。

“所以，刚刚听说鬼山莲泉被带回了心脏，并且此刻她所承受的那种痛苦……呵呵，幽冥，你可别忘记了，白银祭司最擅长的就是种植灵魂回路，无论是吉尔伽美什，还是我们侵蚀者，不都是这样诞生的么？所以，在吉尔伽美什已经成功逃狱的情况下，白银祭司需要的，不仅仅只是普通的王爵了，他们需要更多的，类似修川地藏这样，强大到变态的怪物。而具有了永生天赋的莲泉，就是其中一个。”

特蕾娅看着沉默不语的幽冥，冷笑了一声，不过随即，她脸上又露出了同情的神色，也许是和他从最开始的凝腥洞穴就共同并肩战斗至今，所以，就算她是再冷血的人，但对待幽冥，也是会有很深厚的感情的。

“那……现在的阵营，已经彻底变化了吧？”

“嗯，当然。”特蕾娅重新在床榻上侧躺下来，她目光幽然，仿佛一只猫，“不过，在我们研究现在的阵营结构之前，我一定要告诉你一个，亚斯蓝领域上，保密等级以及获知权限，比原浆洞穴还要更高的，一个秘密。在你听完这个秘密之后，势必，你也得选择自己的阵营了。”

幽冥胃里一阵恶心，刚刚那些恐怖而瘆人的猩红色场景，依然萦绕在他的脑海，而现在，特蕾娅竟然要告诉自己一个比这个还要更高等级的机密。他控制着表情，依然维持着他那张冷漠而邪气的面容，“你说。”

特蕾娅的目光一冷，严肃地说：“水源亚斯蓝帝国，在二十七年前，和风源因德帝国，秘密签署了一份合约，名为《风水禁言录》，这份合约的签署，直接导致了整个魂术世界的变革，所有的侵蚀者、凝腥洞穴、原浆洞穴，这些神秘事件的根源，都来源于此。”

特蕾娅停了一停，深呼吸了一下，然后说：“除了白银祭司之外，知晓这份神秘合约的，一共只有两个人。我是其中一个。四年多以前，我无意中知晓了这份《风水禁言录》的部分内容，当时的我，完全无法想象这么庞大而恐怖的秘密，竟然就悄无声息地发生着。而另外一个知晓了这份神秘合约存在的人，是吉尔伽美什……他在知晓了《风水禁言录》的内容之后，就遭到了猎杀。”

幽冥望着特蕾娅，他突然发现，自己从来没有了解过这个女人。

他突然觉得她的面容极其地阴森，他想起来，刚刚黑暗里站着的那个男子是谁了，他的胃里再次涌起一阵恶心……他难以接受，但是，他知道，那是事实。

第二十四章

风水禁言录

特蕾娅站起身来，
挥了挥手，
让一直躲在黑暗里的那个男子退了下去。
幽冥张了张嘴，
还是忍住了心里的那份好奇，
没有开口询问。

【西之亚斯蓝帝国 · 天格内部】

特蕾娅站起身来，挥了挥手，让一直躲在黑暗里的那个男子退了下去。幽冥张了张嘴，还是忍住了心里的那份好奇，没有开口询问。不知道是自己的错觉还是真的，幽冥感觉刚刚特蕾娅回过头来，意味深长地看了自己一眼，仿佛知道自己心里在想些什么。这种感觉让人背脊发凉。

特蕾娅缓慢地沿着房间的边缘走了一圈，一边走，她身上一边源源不断地翻涌出很多精纯的魂力，走完一圈之后，幽冥猛然发现，此刻，整个房间都被她的魂力包裹成了一个密闭的空间。

“我刚刚将这个房间完全封印了起来，这样，无论我们在这里面说的什么话，做的什么事，外面的人都无法窃取到任何的信息，除非他突破我的魂力结界。而且，只要稍微有任何魂力企图渗透，我都能迅速地知晓。”特蕾娅走回到幽冥面前，“那我就开始了。在我开始告诉你所有的来龙去脉之前，我先问你一个问题，你有猜测过白银祭司到底是什么人么？”

“我没有想过。”幽冥回答道。回答完，他自己也愣了一愣。说实话，从自己诞生开始，他就完全以遵从白银祭司的指令为自己的使命，而且，整个亚斯蓝领域上的王爵、使徒、魂术师，都是以他们的存在作为最高的存在，所以，就算连想一想他们的来历，也可以称得上是一件冒犯的事情。

“那就算以平常人的角度来看，一个人，如果只能待在一个固定的地方——对白银祭司来说，就是心脏的水晶里，并且很明显他们三个，不是我们这个世界的人。那么我问你，一个来自遥远的陌生之地，并且只能待在一个地方，没有人身自由的人，你会联想起什么？”

“囚……犯？”幽冥的脸变得血色全无，他显然被自己的这个联想吓住了。

“对，你说得没错。这就是他们的真正身份。他们三个，包括风源、火源、地源的另外九个，他们号称自己是十二天神，其实，他们是十二个，被他们自己原本的国家流放到我们这个世界的，罪大恶极的十二个恶魔。他们被囚禁在水晶深处，没有人身自由。然而，不知道被囚禁了多久之后，他们发现了可以通过魂力，控制奥汀大陆上的人，来为他们做事。于是，也就诞生了所谓的王爵、使徒。”

“你……你确定？”幽冥内心的震惊实在太大。因为，那三个一直待在水晶里的白银祭司，看起来容貌高贵，五官精致完美，仿佛冰雕玉砌般地迷人，他们全身都笼罩着圣洁的光芒，怎么可能是……被流放的囚犯？

“你是不是在想，他们的容颜那么美，看起来仿佛天神，怎么可能是囚犯？”特蕾娅笑眯眯地望着幽冥，双眼里翻滚着白色的气浪。

“……你的魂力探知能力，现在已经到达这种地步了？”幽冥脸上笼罩着一层隐隐的怒意。

“那当然没有，我怎么可能探知得到别人的思想……哦，不能这么说，应该说是，我现在怎么可能探知得到别人的思想。嘻嘻。”特蕾娅掩了掩嘴，眸子里的目光风情万种地在幽冥赤裸的胸膛上来回移动，“不过，我最近发现，我的天赋和你的天赋是一样的，都没有上限，都是可以无限上升，激发潜能的。这几年，我发现了好多我的天赋里蕴藏着的潜能，以前我只知道自己可以大范围地探知敌人的魂力变化，后来，我竟然发现，自己可以轻微程度地改变别人的魂力，扭曲别人的进攻，再后来，我又发现自己竟然可以……”说到这里，她突然停了停，脸色有些尴尬，仿佛说了什么不该说的东西。

特蕾娅换了个姿势，继续之前的话题，“你现在看见的白银祭司，其实，只是他们的外壳。或者说，那是他们伪造出来的，或者制造出来的，供他们的灵魂栖身的容器罢了。他们那个世界里的肉身到底是什么样子，我们谁都不知道。有一次我和白银祭司交流的时候，我突然起了个念头，我想探知一下他们的魂力，因为，对我来说，一直觉得他们的魂力深不可测。然而，当我把魂力感知笼罩到他们身上，当我的第一缕魂力穿刺进去之后，我整个人瞬间昏厥了过去。那一次，白银祭司差一点儿就企图杀掉我，让其他的王爵取而代之。当时我苦苦哀求，才留下了我的命。但其实，我心里明白，白银祭司不杀我，不是因为我的哀求，而是因为我的天赋确实出类拔萃，他们一时半会儿无法再制造出一套一样的魂路来。”

“你那次对白银祭司的探知，发现了什么？”幽冥问。

“可以说，什么都没发现。”特蕾娅的目光茫然起来，脸上竟然隐隐浮现出恐惧的表情，仿佛过了这么久，再回忆起当时的感受，依然让她全身发凉，“因为，当我第一缕魂力刺穿他们的外壳，进入他们身体内部的时候，瞬间，一种……怎么说呢，一种极其邪恶、极其扭曲的感觉就瞬间反噬回了我的大脑，我整个人瞬间冰冷，视线一片黑暗，仿佛突然间被一大团漆黑的、冰冷至极，又锐利至极的液体……对，那种液体只要包裹住你，就感觉能瞬间撕碎你的全身一样，你所有的希望，所有的爱，所有的美好回忆会在瞬间都变成一片漆黑冰冷。那种到达顶端的邪恶之感，太恐怖了……在我昏厥过去之前，我能感受到的，就是那样一团漆黑的黏稠，并且一直锐利尖叫着快要撕毁我的耳膜的东西，那就是白银祭司身体里的东西……”

幽冥没有说话，他的脸色和特蕾娅一样，毫无血色。

“后来，经过很多很多的事情，并且又看完《风水禁言录》之后，我才推敲出来，原来，白银祭司被流放的时候，已经被剥夺了肉身，他们被流放的仅仅是灵魂，每一块巨大的水晶，都是他们的牢房，但是他们用不知道什么样的方法，制造了一个看上去和我们这个世界的人类一模一样甚至更加完美的躯壳，来盛放他们肮脏至极、邪恶至极的漆黑灵魂——对，就是那团极度漆黑、极度冰冷的会尖叫的液体……”

幽冥看着特蕾娅，她双眼出神，仿佛依然沉浸在那种巨大的恐怖里面。幽冥忍不住伸出手，抓住她冰凉的柔软双手，握了握。然而，他的目光依然是冷的，他的表情依然带着戏谑的杀戮之气，看起来又英俊，又冷漠。他说：“不过，我还是不明白，如果《风水禁言录》的保密权限等级那么高，以你四度王爵来说，怎么可能看得到？白银祭司要公布的话，不是应该我先看到才对么？”

特蕾娅苦笑了一下，说：“你要是知道了《风水禁言录》的内容，你就不会问这种傻问题了。这是一个白银祭司永远不会对王爵公开的秘密。我之所以能知晓这些内容，是因为有一次，我在心脏内部，正巧办完一件白银祭司交代的任务，在离开的时候，我突然发现了正往地底深处走的吉尔伽美什，当时我悄悄用魂力探知了一下，竟然感受到了他身体里充满了各种各样疑惑、不安、恐惧的情绪。对于他来说，这样的情绪实在太不应该出现在他身上了。那个时候，我的天赋还没有进化到现在这么好，我只能感受到一个人情绪的模糊状态，还不能精确地知道他在想什么。不过，后来我才知道，吉尔伽美什也是一个探知魂力的高手，他对魂力的精准感知，其实不在我之下。当天可能是某件事情太困扰他了，所以，他都没有觉察到我的存在和警觉到有人在对他进行魂力探知。于是我一路尾随他往地底深处走，走了非常非常久，我也不知道一共下了多少层，而且中间经过了很多机关和隐藏的通道，这些我都不知道，但吉尔伽美什仿佛来过一样，他轻车熟路。如果不是他，别说找到这个地方，即便告诉我怎么走，我都不一定能到达……直到我们来到一个看起来非常隐蔽的石室，那个石室的门比普通的门看起来小一半都不止，仿佛只是一个洞似的，而且在走廊上一个非常不起眼的地方，不留心的话，还以为是一个储藏间之类的东西。”

特蕾娅停下来，深呼吸了几下，仿佛在稳定心神，幽冥握着她的手，明显地感觉到她的手心里冒出了一些冷汗，看起来，这些事情，她已经埋藏在自己心里很久了，再一次回忆，对她来说，都是一场不小的折磨。

“我看见吉尔伽美什打开那扇门，弯腰钻进了那个洞口。我没有敢立刻跟进去，因为那个门看起来那么小，里面的空间肯定也不大，我只要一进去，势必被吉尔伽美什发现。我就在走廊的转角处一直等着，过了不知道多久，我都以为那个门洞里其实有另外一条通道，吉尔伽美什已经从另外的出口走了的时候，他再一次从那个门洞里走了出来。那天，他脸上那种表情，我永远忘不了……我从来没有在他尊贵的脸上，看见过那种混合了巨大的沮丧、恐惧、难过、绝望、悲痛的神情。我预感肯定有什么不得了的事情发生了……吉尔伽美什迅速地离开了，可能是他受到的震动太大，以至于他完全没有心思防备周围，所以，当他路过我藏身的那个走廊转角的时候，我们的距离只有两三米，要是换到平时，应该在两三里之外，他就能感应到我的存在了。”

“不过，特蕾娅……”幽冥望着她，他冷漠的脸上竟然有一丝温柔的神色，让他那双锋利的眼睛，看起来多了一些柔情，“你有没有想过……其实也许吉尔伽美什并不是没有感觉到你，而是……他故意也让你发现这个秘密的？”

特蕾娅的双手，瞬间在幽冥的掌心里僵硬起来，她突然意识到这个问题，而自己竟然从来没想过。

“也有这个可能……”特蕾娅沉默了很久，一字一句地说。

“你继续说吧。”幽冥叹了口气，他突然间觉得，他和特蕾娅两个人，再一次重新变成了从凝腥洞穴里一边哭着，一边咬着牙，浑身鲜血地走出来的两个小孩子，茫茫的天地间，翻涌的暴风雪似乎可以将一切都轻易吞噬，身后的洞穴散发着热烘烘的血腥气，他们再也不敢进入那个恐怖的人间炼狱，但是面前却又是无边无际的雪原。两个人显得渺小而孤独，无依无靠，不知道去向哪里，也不知道自己来自何方。

“吉尔伽美什走后，”特蕾娅从幽冥的掌心里抽回一只手，轻轻擦了擦自己眼角的泪，“我来到那个矮小的石洞前面，推了推那个门，才发现上面设下了魂术封印。不过，这难不倒我，我很简单地就解开了封印，走了进去。”

“解开封印很简单？”幽冥的眉毛皱在了一起，“我还是第一次听说，你怎么什么都会？”

“如果比喻起来的话，封印其实就是一个结，一个用魂力编织成绳索，然后打下的一个结。如果是死结，那么证明施印者根本没打算再一次开启这个地方，那么无论是谁也打不开。如果是一个活结，那么越复杂就越难解，或者是编织者的独特手法，那么别人就不知道怎么解开。对于别人来说，魂力是看不见的，看不见绳子就当然不知道如何解开绳子打成的结，更不用说如果编织者是用了一种独特的手法来打成的结……”

“那么，对于你来说，感知魂力是一件再简单不过的事情了，任何的结，在你的魂力感知之下，都会非常清楚魂力编织时的来龙去脉，那么打开封印，对你来说，就只是一件顺藤摸瓜、按图索骥的事情了？”幽冥皱了皱眉头。

“你真聪明。”特蕾娅皱起鼻子笑了笑，像个单纯的小姑娘一样。

“我以前啊，”幽冥叹了口气，“刚从洞穴里走出来的时候，觉得我的天赋要比你厉害很多，当时觉得你能从那个洞穴里活着出来，真是运气好。现在想想，你的天赋看起来似乎比我有用得多……”

特蕾娅没有理睬幽冥的抱怨，继续说道：“我走进去之后，才发现之前我猜错了。这个矮小的门洞里面，空间极其大，仿佛一个中庭一样。宽阔的正方形空间中央，有一个石台，看起来仿佛祭坛一样。祭坛上，摆放着十二个一模一样、用白银铸造的盒子。我感受了一下先前的魂力残留，发现其中第一个和第二个盒子是打开过的。于是，我也打开了第一个盒子。”

“你为什么不全部都打开？”幽冥疑惑地问。

“所以你们男人就是粗神经。”特蕾娅幽幽地说，“我打开吉尔伽美什开过的盒子，万一白银祭司追溯起来，我可以躲得没有任何关系。反正都是吉尔伽美什打开的。但如果我开了后面几个没有开过的盒子，那白银祭司势必会知道，还有第二个人看过这份机密了。”

“女人真可怕。”幽冥叹了口气。

“当时我探知了一下后面第三到第十二个白银盒子，发现盒子上都有封印，而且……那些封印，没有一个是我可以打开的……我能感受到那些魂力编织的方法，但就是打不开，仿佛是死结，但是第一、第二个盒子明明就已经打开过了，那么后面的也不可能是死结啊。所以，那个时候，我才知道了，原来吉尔伽美什的魂力感知，也非常地可怕，甚至比我还要高。”

“还好当时第一、第二个盒子，吉尔伽美什没有按照原来的方法重新封印回去，否则我就打不开了。”

“但为什么吉尔伽美什不按照原样封印回去呢？他不害怕白银祭司发现么？”

“我当时没有想那么多，在那种情况下，人会非常紧张，因为那个气氛特别压抑，而且让人恐惧，仿佛空间里都是看不见的幽灵，时刻都在盯着你……”特蕾娅轻轻地说，“不过刚刚你说的那句话，提醒了我，也解释了一切。那就是，其实《风水禁言录》是吉尔伽美什故意让我发现的。从最开始我跟踪他，他就知道了。而且，他也同时对我进行了魂力探知，所以他知道以我的本事，是无法解开那些封印的，所以他才没有用魂力按照之前的结印方法编织回去，故意留给我两个已经打开封印的盒子。”

“他既然看了，为什么不索性十二个都看完？”幽冥问。

“我觉得是因为……他看完之后，万念俱灰了吧。所以他也不想继续看下去，就离开了。”特蕾娅的声音，突然低沉了下去，她的脸上，也同样是万念俱灰的神色，仿佛失去了一切的希望，仿佛一个茫然而又渺小的卑微者。

“所以从此之后，他才隐居在雾隐绿岛？完全不问世事，神龙见首不见尾了？”幽冥问。

“我觉得是的。”

“那十二个盒子里，到底是什么秘密？这十二个白银铸造的盒子，就是《风水禁言录》？”幽冥忍不住问道，他实在想不明白，到底什么样的秘密，能让吉尔伽美什万念俱灰，从此消隐在这个世界上。

“不是，只有第一、第二个盒子，才是《风水禁言录》，第一个盒子里是上部，第二个盒子里是下部……剩下的十个盒子……没有人知道是什么恐怖的秘密。”特蕾娅的双眼里，光芒突然熄灭了下去，仿佛最深最重的绝望，笼罩住了她。

幽冥的掌心也一片冰凉。

真是可怕……这一切匪夷所思的事情，源头都仅仅只来自前两个盒子，那么后面的十个盒子如果全部开启呢？会是什么样的灾难？那么这还只是亚斯蓝领域上面，如果风、火、地的国家也有这样的秘密呢？这个世界上一共有多少个盒子？

“那么……那两个盒子，也就是《风水禁言录》的上、下卷，分别说了什么？”幽冥问。

特蕾娅深吸了一口气，说：“那就是我想要告诉你的事情了。”

幽冥点点头，烛火照亮了他的瞳仁。

“首先，我们这个奥汀大陆上，所有魂力的来源，都不是自古以来就存在的。在十二个白银祭司到达我们这个世界之前，我们的世界里没有黄金魂雾，也就没有魂力、魂术，更没有魂术师、王爵、使徒。而所有的黄金魂雾，都是由一种至关重要的东西散发出来的，那就是【黄金瞳孔】。所有的黄金魂雾，都是黄金瞳孔扩散出来的。”

“等于黄金瞳孔是所有黄金魂雾的源泉？”幽冥问。

“可以这么说。”特蕾娅继续说道，“整个大陆上，一共散布着十二枚黄金瞳孔，因此你也可以猜测到，这十二枚黄金瞳孔是由十二个白银祭司带到我们这个世界的。其实这十二枚黄金瞳孔，在最初，是白银祭司身体里一个重要的器官，镶嵌在他们的额头正中。但是在流放的过程里，他们的肉身毁灭了，所以这十二枚重要的黄金瞳孔，也就坠落在了整个大陆的各个角落。从那个时候起，无穷无尽的黄金魂雾，就从这十二枚黄金瞳孔里扩散出来，覆盖了整个大陆。”

“目前这十二枚黄金瞳孔在哪儿？”幽冥突然问。

“其他国度的黄金瞳孔，《风水禁言录》上没有记载。并且我相信，每一个国家的黄金瞳孔数量是不一样的，但是亚斯蓝拥有的数量是三枚，目前是知道的。并且具体的位置，也在里面有所记载。其中一枚，在魂塚里，这也是为什么魂塚能够诞生那么多强力的魂器的原因。剧烈的黄金魂雾辐射，能够让一般的武器也产生不同程度的异变。那么，另外一枚黄金瞳孔，你肯定也能猜到在哪儿了。”

“深渊回廊？”幽冥眼睛一亮。

“对，看来你明白黄金瞳孔的意义了。另外一枚，确实就在深渊回廊，所以那里诞生了那么多匪夷所思的强力魂兽，亚斯蓝四大上古魂兽，其实全部诞生在深渊回廊里，后来才各自占据了一方领地。你还记得深渊回廊深处那个黄金魂雾浓度高到可以凝固为液体的黄金湖泊么？我相信，黄金瞳孔肯定在那个湖面之下。而且后来我才发现，我们一直以为心脏是倒立在帝都格兰尔特之下的，但其实并不是。我们每一次从宫殿穿越往地下的时候，肯定经过了一枚棋子的转移，其实无形中，我们已经到达了另外一个地方了。我相信心脏的位置其实是在深渊回廊附近的，或者说就在深渊回廊地底。”

“那还有一枚呢？”幽冥隐约地觉得，这最后的一枚，就是所有秘密的所在了。

“你应该很熟悉才对啊……”特蕾娅用目光提醒着幽冥。

“……凝腥洞穴？”幽冥的目光锁紧了。

“对。但是，这枚瞳孔一开始并不在凝腥洞穴。凝腥洞穴是后来才诞生的。这最后一枚黄金瞳孔，最开始是在尤图尔遗迹里。所以，那个地方，曾经是非常非常繁华的帝都古城，繁荣程度不亚于格兰尔特，后来当那枚黄金瞳孔被移走之后，整个城市瞬间荒芜一片，并且白银祭司为了掩藏这个秘密，将【尤图尔城】沉到了海底，并且将整座城市，挪到了魂塚的下方。”

“那么所有搜集来的万千亡灵，其实就是为了守护黄金瞳孔了？这就是他们守护的尤图尔遗迹里最大的秘密？”

“对。”特蕾娅说。

“但是……你刚刚不是说，尤图尔城里的那枚黄金瞳孔，已经被移到了凝腥洞穴么？那么那些亡灵还在守卫什么呢？”

“守卫一个假象。”特蕾娅的目光发出锐利的光芒，“因为这是一个风源和水源签署的合约，我想火源和地源并不知道。所以白银祭司继续搜集无数的亡灵，在守护一个已经不存在的东西，说白了，也就是做给火源和地源看的，以此掩盖他们真正挪用了的那枚黄金瞳孔。”

“原来是这样……”

“而且，你别忘了，他们已经把整座尤图尔城移到了魂塚之下，而魂塚里，是确确实实还有一颗黄金瞳孔存在的，所以，其实这些亡灵，也确实是在守护那枚重要的黄金瞳孔，随时都能从尤图尔遗迹里一拥而上，进入魂塚，抵御外来者的侵略。”

“那尤图尔城里的那枚黄金瞳孔，被移动到了凝腥洞穴的目的，就是为了制造……侵蚀者？”幽冥的心脏开始剧烈地跳动起来，因为隐隐地，他将所有的事情连到一起，似乎已经可以触摸到整个庞大秘密的轮廓了。

“其实不是为了制造侵蚀者，而是为了让白银祭司找到一个肉身，让他们那团漆黑冰冷的邪恶灵魂可以寄居在这个身体里，并且重新将黄金瞳孔种植在这具肉身里，那么，他们就等于从‘水晶牢房’里逃脱了。”

“如果只是这样，那么白银祭司干吗不直接把我们任何一个王爵的肉体占据掉，然后重新把黄金瞳孔种植在额头就行了？”

“相信我，如果这样可以的话，白银祭司早就这么做了，我们的生命对他们来说没有任何意义。之所以没有这样做，是因为无论是白银祭司的那团漆黑的灵魂，还是黄金瞳孔，都具有巨大的毒性和腐蚀性，我们人类的身体，是无论如何也承载不了的。就像一些动物在高浓度的黄金魂雾里，也会因辐射过度而死亡一样。一般的身体，别说要种植瞳孔了，就算只是让白银祭司的灵魂寄居，也会因为无法承受那种扩散的毒性，而很快死亡。”

“所以才有了凝腥洞穴……”幽冥咬紧了牙齿。

“对，凝腥洞穴的意义就是为了不断试验，从而制造出能够让白银祭司的灵魂重新寄居，并且可以将黄金瞳孔重新种植回身体里的一具肉身，一个完美的容器。”

“我以为……凝腥洞穴的存在是为了制造侵蚀者，原来是……”

“侵蚀者听上去非常强大，其实说白了，不过是制造【完美容器】的失败品，但是失败了之后，随意丢弃又太过可惜，所以，就让这些侵蚀者们互相残杀，最终活下来的，就放出去，成为新的王爵，以此不断诞生最强大的王爵使徒，从而提升国家的整体魂术实力。”

“那么，既然这个机密被称为《风水禁言录》，那么，就一定和风源有关系了？”幽冥问道。

“凝腥洞穴就是水源亚斯蓝和风源因德帝国共同建造的一个洞穴。两个帝国各自贡献了一枚黄金瞳孔，一共两枚，共同放在凝腥洞穴里，从而产生最强大的黄金魂雾源泉，用来制造完美容器。其实风源的魂术发展，在四个国家里，是非常出类拔萃的。其他三个国家，因为地域辽阔，人口众多，所以白银祭司还得兼顾整个国家的发展，他们虽然是囚犯，但是从某个意义上来说，他们也统治着整个国家，整个国家的人民生活物质发展，也不得不兼顾，至少面子上要过得去。但是风源因为地处极北，人烟稀少，所以，他们所有的精力都用来研究魂术，研究魂力，到最后，他们开始研究重新将黄金瞳孔种植回体内，从而让灵魂可以寄居其中，以此逃脱囚犯生涯的终极魂术。”

“所以……亚斯蓝其实在这方面是落后于风源的？那为什么风源会愿意和亚斯蓝合作？”

“因为整个因德帝国领域上，只有两枚黄金瞳孔，如果两枚都投入制造完美容器的试验的话，那么整个因德帝国就瘫痪了。但是，如果仅仅只使用一枚，又无法达到那么强大的魂力支持。所以，不得不求助于和风源关系最好的水源亚斯蓝。”

“研究制造侵蚀者，包括种植灵魂回路，其实都是风源带来的研究技术。水源在魂术方面的研究，远远落后于风源。其实风源那边，已经制造出了一个最接近‘完美容器’的人，也就是目前风源的一度王爵，铂伊司。”

“就是那个白银祭司口中说的，号称整个奥汀大陆最强的王爵？”

“对，他之所以这么强，包括压倒性地胜过吉尔伽美什或者修川地藏，那是因为，他和我们需要从周围的空间里吸收黄金魂雾从而不断补充魂力不同，他的额头，直接种植着因德帝国目前除了凝腥洞穴之外，唯一剩下的那枚黄金瞳孔。”

“……天啊！”幽冥从床榻上坐起身子，脸上是难以接受的震惊，“那铂伊司不就已经是成功的完美容器了么？他的身体已经可以抵抗直接接触黄金瞳孔那么强烈的腐蚀了？那白银祭司可以出来了？”

“不能……我刚刚也说了，铂伊司只能说是目前‘最接近’完美容器的人，因为他仅仅只做到了第一步，那就是可以抵御黄金瞳孔的腐蚀，但是，依然无法承受白银祭司的灵魂。那团漆黑冰冷、散发无限寒气的邪恶灵魂，才是真正最强烈的毒性来源。”

“那铂伊司到底有多强……他的天赋是什么？”幽冥握紧了拳头。

“他已经将黄金瞳孔种植在了身体里，天赋什么的对他来说，还有意义么……”特蕾娅目光里是巨大的绝望。因为她也不知道，究竟铂伊司会强到什么程度。

“那现在，完美容器制作出来了么？”幽冥想了想，问了最后一个最关键的问题。

“好像是没有。否则就不会不断有侵蚀者出来了，”特蕾娅冷漠地说，“我们这些怪物，都是实验失败了的证明。”她停了停，话锋一转，“不过《风水禁言录》的下部，在整个制造进度里，好像有记载很多年前，他们几乎制作出了一个完美容器，但是还没有开始种植黄金瞳孔，或者让白银祭司的灵魂寄居，在还没有验证的情况下，就失踪了。”

“失踪了？找到了么？”

“没有找到。因为那个完美容器刚刚制作出来，还没有种植任何的灵魂回路，所以他的身体也没有任何的魂力感应，无法追踪无法查询，所以就遗失在了茫茫的人海。”

幽冥沉默不语，他换了个姿势，身体僵硬的感觉却无法缓解。

“对了，”特蕾娅挪动了姿势，说，“他们对这个完美容器，还有一个特别的称呼。”

“是什么？”

“他们把它，称为【零度王爵】。”

【西之亚斯蓝帝国 · 天格外部 · 荒野雪原】

“好了，送到这里差不多了，你还是赶快回去处理天格内部的事情吧。接下来，要开始寻找冰帝了。我感觉，事情肯定不会这么简单。既然你说风源的魂术研究，远远超过我们水源，那么他们的使徒，应该几乎都类似我们王爵的魂力强度。既然他们六个使徒此刻已经全部潜伏到了亚斯蓝的领域上……那么，我们的情况就不妙了。”

“我会的。你自己小心。”

特蕾娅将幽冥送到城堡之外，巨大的荒野，翻涌着漫天漫地的雪花，仿佛和她的瞳孔一样。她想到，当初的自己和幽冥，走出那个猩红闷热的洞穴时，迎面而来的，就是这样冷漠无情、无边无际的天地。

幽冥走了两步，回过头来，问：“对了，你刚刚说到，亚斯蓝现在的格局，你是指什么？”

特蕾娅幽幽地一笑，说：“我还以为你忘记了这个事情呢。”

幽冥说：“我没忘。我知道，你迟早都会告诉我的。”

特蕾娅裹紧了黑貂毛的长袍，看了看站立在雪白大地上的幽冥，他漆黑的战袍将他包裹得仿佛一道闪电，他赤裸的胸膛在风雪碎片里，闪烁着动人的光芒和力量。

“你也知道，吉尔伽美什已经离开了那个囚禁之地，而且他知道《风水禁言录》的秘密，所以，他势必会对白银祭司进行复仇。而且，虽然麒零已经成为了新的七度王爵，但是我总觉得银尘没有死，不知道为什么，我有这样的感觉，可能是之前我亲眼目睹银尘已经死在我的面前，但最后却再次复活成为七度王爵的关系吧。而且，我相信，吉尔伽美什的第一个任务，一定是找到已经暗化了的格兰仕，我相信，他应该有办法重新唤醒格兰仕，加入他的阵营。而且，作为银尘的使徒，麒零势必也会加入他的阵营，同样属于他们阵营的，还有此刻被囚禁的双身王爵鬼山莲泉，如果他们营救出她来，那么她的加入，会让整个阵营如虎添翼。而且别忘记了，吉尔伽美什的魂兽，是宽恕。这是第一个阵营。”

“那另外一个阵营是什么？”幽冥问。

“另外一个阵营，当然是白银祭司和他领导的那群怪物们。以修川地藏那四个怪物为首，再加上漆拉这个深不可测的三度王爵。光是他们四个，就足以和吉尔伽美什抗衡了。而且，还有此刻情况未知的神音，一旦神音具备了永生的天赋，那么，实力的天平势必会发生倾斜。这是第二个阵营。”特蕾娅说。

“还有第三个么？”幽冥问。

“有。那就是冰帝艾欧斯阵营。他现在到底是什么立场，我们谁都不知道。你肯定会奇怪，我怎么会将他一个人就划分为一个阵营。你回想一下，白银使者曾经说漏过一句话，大概的意思是，艾欧斯具有摄魂的能力，这种能力具体是指什么，我们并不清楚，但是可以肯定的是，银尘的复活和艾欧斯有关。那么，他所具备的能量，就不容忽视。而且，他现在的失踪，看起来充满了疑云。无论他是什么立场，站在哪个阵营，都会全面改变现在的对峙局面。”

“那你选择哪个阵营？”幽冥看着面前美艳无比的特蕾娅，她的面容上仿佛盛开着娇艳的花朵。

“第四个阵营。”

“第四个？”幽冥的瞳孔在雪原强烈的反光下，眯成一条细线，“还有谁？”

“第四个阵营啊，”特蕾娅伸出食指，指着她自己那张脸，“就是我自己。”

“你自己？”幽冥的脸突然冷了下去，“你想做什么？”

“幽冥，难道你想一直做一个怪物么？你也知道，我们只是白银祭司的试验品，一旦完美容器试验成功，我们的下场会是什么样，你想过么？所以……”特蕾娅眼睛笑得弯弯的，看起来像盛着一碗冒着热气的糖浆，“你想不想坐山观虎斗，然后最后出来收拾残局，统治亚斯蓝试试看？”

“你有什么底气让我加入你这个阵营？”幽冥的嘴角邪邪地笑着。

“我这个阵营啊，其实很厉害的。”特蕾娅看着幽冥，“我可以证明给你看，不过啊，你可能会有一点儿不舒服哦。”

“什么意思？”幽冥问，同时，他看见特蕾娅的那双瞳孔，变成了剧烈的猩红色。

只是，幽冥的话音刚刚出口，一阵剧烈的扭曲感，那种非常熟悉的恐怖的感觉，瞬间袭击了他。幽冥双膝一软，突然重重地跪在雪地上，弯下腰开始呕吐。他的瞳孔剧烈地跳动着，无数阴冷的邪恶的魂力，仿佛电波磁场一样，在他脑海里剧烈地共振，想要将他整个人抛到疯狂的边缘。“你……你怎么会……”幽冥口腔里涌出大口大口的酸臭的胃液。

特蕾娅的眼睛恢复了正常。幽冥脑海里那种恐怖的震动停止了。

“你应该很熟悉这个天赋吧，精神浸染。这个曾经就是你的使徒——神音那个连体双胞胎姐姐的天赋呢。不过，你选择了神音，而她只能化成一摊烂泥。不过呢，当初白银使者将她的尸体丢弃在荒原上的时候，正好我跟了过去。我对她的肉体进行了魂力探知之后发现，她的灵魂回路和我的非常非常地近似，近似到了我只需要改变一点点我的灵魂回路运行的方式，就可以和她差不多了。她的精神浸染和我的魂力感知，都是属于精神层面的天赋，所以，一不小心，我就学会了这种天赋呢。”特蕾娅蹲下来，伸出手，抚摸着幽冥那张英俊的面孔，此刻他脸上只有难以言喻的震撼和恐惧。

“而且啊，刚刚在天格里的时候，其实你不是已经猜出来了，那个黑暗角落里的男人是谁么？你也应该知道，他的实力吧。所以，你看，我们的阵营，其实不弱呢。加上你二度王爵，和你的爵印里那个亚斯蓝四大魂兽之一的宝贝儿，我们，不一定会输哦。”特蕾娅靠近幽冥的耳边，喃喃地说道。

“原来，你隐藏了这么大的秘密和实力。”幽冥看着特蕾娅，目光里一片溃败。

“咦？谁说的啊？”特蕾娅站起来，哈哈大笑，“我隐藏的，可不是这些，我真正厉害的东西，你们可不知道呢。只是现在啊，还没到要把它拿出来，吓唬大家的时候。”

特蕾娅转过身，慢慢地往她的天格走去了，她没有回头，只是冷冷地抛下一句“究竟加入哪边，你想好哦”，她包裹在长袍中的曼妙身影渐渐消失在风雪的尽头。

幽冥茫然地站在雪地里。远处，特蕾娅的宫殿被无数的雪花席卷蚕食着，看起来是留下了一个残缺的轮廓。茫茫的天地里，他孤立在苍穹之下。

他望着特蕾娅的背影消失的方向，突然轻轻地笑了。雪花打在他浓密纤长的睫毛上，然后融化成了几滴水珠，湿润了他的眼睛。

“其实你不需要和我说这么多的啊，就算你只有自己一个人，什么都没有，我也会选择，和你在一起的。”

尾声

零度王爵

漫天的大雪将所有的视线和听觉，

都吹得稀薄。

【北之因德帝国 · 凝腥洞穴外】

漫天的大雪将所有的视线和听觉，都吹得稀薄。

“艾欧斯？”铂伊司笑了笑，满脸钻石般的光芒，看上去英俊极了，不过他现在看起来只有十五六岁，太年轻了，身上依然残留着男孩原始的稚气，再过几年，那一定是一个可以迷倒所有女人的英俊男子。他伸出手，把跌坐在地上的艾欧斯扶起来，在他刚刚接触到艾欧斯的手时，铂伊司的表情突然凝重了起来，他疑惑地低头看着自己的手，从蓝袍少年纤长而苍白的手指上传递过来的，分明是一种和自己截然不同的元素魂力。铂伊司看着站在自己面前，比自己矮一个头的小男孩艾欧斯，问："你不是风源因德帝国的人？"

"我是水源亚斯蓝帝国的……"艾欧斯小声地回答着，仿佛一个犯了错的小孩，脸上是紧张的神色。

"那你知道这里已经是风源因德帝国的境内了么？这里是极北之地，你怎么跑到这里来了？就你一个人？"铂伊司轻轻地皱起眉头，让他看起来年长了几岁，显得更英气了些。

"我也不知道……感觉有什么东西，在召唤我……"

"有人和你一起来么？"铂伊司问。

"嗯，有……"

"那他人呢？让他带你回去吧，这里……不适合停留。"铂伊司回头望了望那个幽深漆黑的洞穴，轻轻地说。

在铂伊司从洞穴那个方向转回头来看着艾欧斯的时候，他脸上的神色瞬间变了，如同一个洁白的天使突然变成了冰冷的死神，在同一个瞬间，他面前突然"嗡——"的一声，一道透明的墙壁朝着两边天地的尽头无限延展过去，把他和艾欧斯隔绝开来，透明的墙壁微微地波动着，仿佛透明竖立的水面，隐隐泛出彩虹般的绚烂光芒。

透明气流的对面，一个高大挺拔的男子无声无息地站在刚刚艾欧斯站立的地方，浑身漆黑的长袍，上面有隐隐的黑色金线勾勒出的图案，他的出现悄无声息如同鬼魅，整个人像是没有生命的影子一样，忽然降临。而此刻，艾欧斯正静静地仿佛一个孩子般，被这个男子单手抱在怀里。黑袍男子头上的兜帽被风吹开，他俊美的面孔仿佛一朵出水的雪莲般精致，甚至比大多数女子的面容都还要美。他的双眼充满了流转的光泽，粉红的嘴唇和挺拔秀气的鼻梁，让他看起来仿佛有一种夺人心魄的美。但是他一开口，却是低沉而性感的磁性声音："我没有敌意，你可以把面前的气流收起来。"

少年看了看黑袍男子淡然的面容，轻轻眯了眯眼睛，面前那道泛滥着彩虹光芒的透明气墙，瞬间缩小成一个点，消失在空气里。

艾欧斯抱着黑袍男子的脖子，小声地在他耳边说道：“刚刚是他救了我，那个洞穴里有怪物……”

黑袍男子抬起另外一只手，轻轻地在艾欧斯的金发上抚摸了几下，脸上是无限怜爱的神色。他望着铂伊司，露出俊美的笑容，沉沉地说道：“谢谢你刚刚救了他。我叫漆拉。我现在带他回去了。不好意思，冒犯了你们的领地。”

“无故侵入风源的边界，你以为说句‘不好意思’就可以走了啊？”

风中传来一个冷冷的年轻女子的声音，看不见人。

漆拉本来已经转过身准备走了，此刻再次转回来，望着铂伊司，又抬起头环顾了一下周围茫茫一片的雪原。面前的空气突然一阵闪电般一瞬即逝地扭曲，像被风吹痛了一下视线般，一个身着飘逸长袍的少女，突然出现在银发少年铂伊司的身边。两个人并肩站立着，风将他们俩的纯白长袍卷动得如同流云，看起来就像一对年轻的璧人。

漆拉看着年轻的女孩子，她的面容清秀里透着隐隐的艳丽，年纪不大，也就十六七岁的样子，漆拉可以预料，将来成熟之后，她一定是美艳无比的女人。除此之外，她身上同铂伊司一样，萦绕着一种与生俱来的尊贵感。

“西鲁芙，别闹了，让他们走吧。我们还有正经事要做呢。”铂伊司抱歉地冲漆拉笑了笑，做了个抬手告别的手势。

漆拉抬起手，礼貌地告别。他抱起艾欧斯，转身朝南方走去。身影渐渐地消融在大雪里。

“就这么放他走了啊？这也太丢风源帝国的脸了吧？”西鲁芙撅起嘴，一脸不高兴的样子。

“好啦。我们该去做正经事情了。事情比我想象的严重……”铂伊司说。

“不好……至少得教训教训他们。那个漆拉，看起来真高傲。”西鲁芙嘴角浮起一丝狡诈的笑容，她轻轻地动了动纤细的手指，仿佛用她粉红色细长的指甲摘下了一片隐形的花瓣一样，空气里一道仿佛电光般透明的气流，以不可思议的高速度朝漆拉的后背划去。

当这股气流飞快地闪过漆拉后背的时候，西鲁芙脸上得意的笑容僵死了，她的脸沉了下去。因为，看上去，漆拉仿佛后背长了眼睛，提前预知了方向似的，只轻轻地往旁边闪了闪身形，如同散步时伸了个懒腰一般，气流就消失在了空气里，扑了个空。

本来期待着漆拉后背的衣服被划开个大口子的西鲁芙，此刻一脸的怒气。

她纤细的小蛮腰一拧，双手朝前在空中交叉一挥，两道锋利的气旋朝着漆拉雷霆万钧地斩去，看得出来，她刚刚是在开玩笑，而此刻已经用上劲儿了。气旋朝着漆拉飞快刺去，所过之处的冰面被透明的气流开凿出深深的口子，冰屑四溅，就在快要斩到漆拉的身体时，漆拉迅速地转过身来，他一动没动，瞳孔一阵骤紧，他面前的冰面上，突然"铿——"的一声拔地而起一面厚厚的冰墙，仿佛一面盾牌般挡住了迎面射来的透明气旋，两声巨大的碎裂声之后，冰墙上出现了两道交错的深深的砍凿的痕迹。

漆拉的头发瞬间飞扬开来，他面前的冰墙突然拔地而起，凌空悬浮起来，变成了数十把锐利的冰刃，朝着西鲁芙电射而去。

西鲁芙冷笑一声，刚要还手，突然眼前视线一花，铂伊司已经抢先挡在她面前，他轻轻地抬起手，举重若轻地朝着激射而来的冰刃伸开自己的手掌，一面透明的气盾瞬间撑开在他们两个人的面前，空气里泛滥流转的钻石光芒，仿佛一面坚不可摧的悬空盾牌，所有冰刃在它上面纷纷撞成四散飞扬的冰雪碎屑。

两边的人冷冷地彼此对峙着。漆拉脸上的表情冰冷而漠然，他怀里的艾欧斯明显吓坏了，把脸埋在他的脖子里，悄悄地转过头，用视线偷瞄着对面的铂伊司。

而铂伊司依然平静而淡然，如同他身上阿鹿斯港香料般的高贵气味，这使他看起来怎么都不像是血气方刚的十六岁少年，更像是一个已经度过无数岁月的隐士。而他身边的西鲁芙，脸上依然是高傲而不屑的笑容，带着明显的挑衅，看起来就是一个娇生惯养的公主。

“能将气流凝聚压缩成这么高密度、足以抵挡冰刃攻击的气盾，你们两个，应该是非常高位的风爵吧？”漆拉看着西鲁芙和铂伊司，冷冷地说着。

“知道就好。怕了啊？”西鲁芙咯咯地笑着，眼睛里依然是冷冷的敌意。

“那你们知道我是谁么？”漆拉看着西鲁芙，也淡淡地笑着，回应她，完全没有任何的畏惧。

“知道。漆拉，水源一度王爵。”铂伊司平静地说着，仿佛在轻声吟诵一篇羊皮卷上的古诗文，看起来优雅而又气宇轩昂。倒是他身边的西鲁芙，听到这里，脸上浮现出一瞬间的惊讶，但随即，又迅速地恢复了之前冷傲而轻蔑的神色。

漆拉心里微微有些吃惊，但表情上依然不动声色，“既然知道，那你们还要和我动手？”

铂伊司轻轻地叹了口气，仿佛听到了一件特别好笑又特别无奈的事情似的。他年少英俊的脸上，竟然隐隐浮现出一种看穿岁月后的淡然。倒是旁边的西鲁芙，是典型的少女表情，她呵呵地笑着，像听了个大笑话似的，“为什么不啊？就因为你是一度王爵？别让人笑话了，”她走到铂伊司边上，伸出白皙的兰花般的手指，指着铂伊司英俊而略带稚气的脸，“他啊，很早就是一度王爵了呀，那个时候啊，你估计还是个小使徒吧？”

漆拉看着铂伊司天使般闪烁着钻石光芒的面容，心脏仿佛迅速下沉到冰冷的海底。他将艾欧斯抱得更紧了一些。

“你手里那个小孩，我猜得没错的话，应该就是现在或者未来的冰帝吧？”西鲁芙用手轻轻地撩拨着自己耳边的一缕头发，一边挑衅地说。

“既然知道，那就更不应该和我们动手，你们应该知道，冰帝代表着我们整个亚斯蓝最高的地位。任何对他的冒犯，我都将视为风源对我们水源的宣战。”漆拉冷冷地回应着。

“哎哟，又是一度水爵又是冰帝的……好吓人呢！”西鲁芙抬起手掩着口，做出害怕的样子，但是她一双媚惑的眸子里，完全没有任何害怕的神色。

铂伊司轻轻地摇了摇头，叹了口气，“漆拉，你带着艾欧斯走吧，我们不企图宣战，但是她，”铂伊司指了指西鲁芙，“她也不会因为你们是一度水爵和冰帝就害怕你们。她啊，从十二岁那年开始，就已经是风后了，和你怀里的冰帝一样，风后也代表着我们风源的最高统治者，所以，如果你对她有任何的冒犯，也将视为水源对我们的宣战。”

漆拉心里翻涌起巨浪般的惊讶。他完全没有想到，出现在自己面前的这两个仿佛金童玉女般的少年少女，竟然是风源帝国的魂术和地位的两座最高巅峰。

铂伊司转过头，看着西鲁芙，他的脸色稍微沉了下来，看起来显得严肃，“别闹了西鲁芙，让他们走吧……他们也不方便知道这里发生的事情。”

西鲁芙听到后，仿佛意识到了什么，于是点点头，转过头对漆拉说：“赶紧走吧，我们没空陪你玩了。”

漆拉沉默了一会儿，轻轻地低下头致意了一下，然后转身离开了。

艾欧斯趴在漆拉的肩头，望着铂伊司和西鲁芙小小的身影在一片迷蒙的风雪里渐渐缩小成两个雪白的点。

不知道为什么，他年幼的心里，竟然涌动起一阵难过。

直到多年之后，他才发现，原来命运里，早就安排下了一切的伏笔，他们的相遇，他们的羁绊，他们的命运齿轮无法分割的咬合。

——你为什么来这里？

——我也不知道……感觉有什么……在召唤我……

“原来从那个时候，一切就已经开始了。一直在召唤我的……就是你啊。”

【西之亚斯蓝帝国 · 阿切特拉市】

漆拉带着年幼的冰帝艾欧斯，在离极北之地很近的阿切特拉市住下来。他本来可以立刻做出一枚棋子，将私自离开自己的艾欧斯迅速带回格兰尔特的。但是，他心里始终对刚刚那对年轻的少年少女，有着一种难以言喻的不安。

他将艾欧斯安顿在旅店的房间里，叮嘱他再也不能随便乱跑了。艾欧斯点点头，问漆拉："你要去哪儿？你是要去找那个小哥哥么？我也想去。"

"你不能再去了，刚才多危险。等你长大了，你是我们国家最高的王，那个时候，你想去哪里，都可以。"

"好，那我长大了，我就去找他。"艾欧斯年幼而大大的眼睛里，闪烁着坚定的眼神。

"你为什么那么想去找那个铂伊司呢？你完全不认识他啊。"漆拉非常地惊讶。

"我也说不上来……"艾欧斯的表情非常困惑，"总感觉……总感觉一定要找到他，然后……然后……"他的声音渐渐低下去，看起来，他自己也不清楚找铂伊司做什么。

漆拉拍拍他的头，然后空气里一阵气流扭动，漆拉的身影瞬间消失了。

睡到半夜，漆拉还没有回来。艾欧斯睁着大大的眼睛，躺在床榻上。

房间里点着很多盏油灯，让整个房间非常亮堂。壁炉里的火已经变小了，烧了一整夜，此刻已经只剩下零星的火苗，大块大块的猩红的木炭，在壁炉里一明一灭的，仿佛呼吸一样的光。艾欧斯看着那些发亮的余烬，不知道漆拉去哪儿了。

窗外巨大的树枝在冬天里掉光了叶子，此刻只剩下嶙峋锐利的树干，仿佛无数的鬼手。

艾欧斯裹紧了被子，心里默念着漆拉的名字。从小到大，自己都是由漆拉带着的，漆拉对自己来说，就像是父亲一样。

突然，空气里一阵怪异的扭动，一阵尖锐的鸣叫声突然在房间里响起，艾欧斯刚刚抬起手蒙住自己的耳朵，瞬间，一团黑色的光影朝自己的床头旋转呼啸而来，刚刚显影还不足三秒钟的漆拉，瞬间将他的手按到床头，什么话都还没来得及说，他就将艾欧斯的床变成了一枚棋子，和他一起，瞬间移动了。

当艾欧斯眼前的视线再度凝聚之后，他看清楚了面前的情景，吓得什么都说不出来。躺在他面前地面上的漆拉，浑身无数道伤口，仿佛被看不见的成千上万把刀刃旋转切割了一样。汩汩的鲜血流在大地上，他昏迷不醒。艾欧斯抬起头，不知道自己在什么地方。看起来像是在一条后街的小巷子里，地面是黑色的石板路，两边是房屋的石墙，看起来像是后门。

而漆拉的手边，是一个包裹在华丽锦缎里的婴儿。他的眼睛闭着，仿佛在熟睡。没有哭闹，也没有动作，甚至看起来像是没有呼吸。

艾欧斯突然想起来，刚刚在漆拉突然现身，然后又带着自己通过棋子转移的最后瞬间，他看见了破窗而入的两个风驰电掣的身影，他们的速度太快了，快得像风，像闪电，他们全身都包裹着无数快速闪动的气流，那些短促而锐利的气流，看起来仿佛深海里一团一团不断游蹿的银鱼，发出密密麻麻的闪光，看起来像是可以把任何靠近他们的东西瞬间切成碎片。尽管只有一个瞬间，但是艾欧斯依然认出了，那两个人，就是之前刚刚遇见的铂伊司和那个女孩西鲁芙。

他们的脸上是盛怒的表情，仿佛被人偷走了最重要的东西。

艾欧斯想，难道漆拉从他们手里偷走的就是这个小孩子？

突然，巷口传来一阵马蹄声，一辆大大的马车，停在了巷口，几个中年人跳下车来，然后走进一间屋子里，开始往车上搬东西，看起来，应该是一辆运货的马车。

艾欧斯心里突然升起一种莫名其妙的感觉，他突然感觉到，那个包裹在襁褓中的婴儿，此刻，正散发着剧烈的邪恶气息，仿佛有一团漆黑而冰冷的黏稠液体突然包裹住了自己，无数锐利的细小尖刺正在涌进他的身体，他瞬间慌乱了意识。

他捡起那个小小的婴儿，转身朝巷口飞快地奔去，他将婴儿，悄悄地放到了马车的后箱里。婴儿的脚，突然从襁褓里露了出来，艾欧斯低头，看见婴儿的右脚脚踝处，有一个小小的刺青，那个刺青是一个字，零。

【西之亚斯蓝帝国 · 福泽镇】

窗外的夕阳把坐落在福泽镇镇口的这家驿站笼罩在一片温暖而迷人的橙色光芒里。从驿站门口望出去，是一条灰白色岩石铺就的笔直小道，道路看起来年代久远，已经在风雨和岁月里被磨出了细致而光滑的石面来。时不时地有行人背着各种形状大小的行囊在夕阳下行走，一看就不是本地人。偶尔也有马车运送着福泽镇特产的香料和手工缝制的皮革离开这个小镇。一直以来，福泽镇出产的这种以枫槐木的根须做成的香料就凭借着物美价廉的优势，在南方靠海的港口卖得特别好。

道路两边之前是厚实的茸茸绿草，而眼下已经到了初冬时节，草坪已经枯黄一片，风卷起枯草碎屑，扬在空气里，阳光照耀其上，像金色的沙尘般飘浮着。

整个福泽镇看起来就像是一座被黄金粉末粉刷之后的温馨小镇，充满着蜂蜜浆果酒和水果热茶的香味。

“老头子，你别顾着玩你的那些瓷器了，快来帮忙运货啊！你总不能让我一个女人家来搬东西吧！这么多刚刚从阿切特拉市运来的器皿，我可搬不动！”

“好了好了。我来了。咦……老婆，你快来看！这儿……这儿怎么有个婴儿啊！”

“哎呀……真的啊……那怎么办？谁家的孩子啊，运货的人已经走啦，这可怎么办？”

“正好我们也没有孩子啊，那就收养了吧。”

“你嫌弃我不能生啊？我明天就帮你生一个！”

“好了好了，我不是那个意思。哎？你看，他脚踝上有一个‘零’字。”

“你这么喜欢，那就跟你的姓好了。就叫他麒零吧。”

ZUI Book

CAST

临界·爵迹 II

作者
郭敬明

出品人
郭敬明

选题策划
金丽红 黎 波

项目统筹
阿 亮 痕 痕

责任编辑
陈 曦

助理编辑
庄 宁

特约编辑
痕 痕

责任印制
张志杰

装帧设计
ZUI Factor

封面设计
胡小西

版式设计
张 强

出版社
长江文艺出版社

出品
上海最世文化发展有限公司

官方论坛
http://www.zuibook.com/bbs

平台支持
最小说 ZUI Factor

| TOP 25

2010 年上海最世文化发展有限公司畅销书排行榜

排名	书名	作者
1	临界·爵迹 I	郭敬明
2	小时代 2.0 虚铜时代	郭敬明
3	这些 都是你给我的爱	安东尼 echo
4	东霓	笛安
5	夏至未至（2010 年修订版）	郭敬明
6	幻城	郭敬明
7	小时代 1.0 折纸时代	郭敬明
8	橙—陪安东尼度过漫长岁月 II	安东尼
9	悲伤逆流成河（新版）	郭敬明
10	小时代 1.5 青木时代 VOL.3	陌一飞 郭敬明 猫某人
11	直到最后一句	卢丽莉
12	燃烧的男孩	李枫
13	年华是无效信（2010 年修订版）	落落
14	西决	笛安
15	陪安东尼度过漫长岁月	安东尼
16	迷津	萧凯茵
17	青春白恼会 VOL.4 摇滚特工队	千厮 爱礼丝 阿敏
18	蔷薇求救讯号	卢丽莉
19	告别天堂（2010 年修订版）	笛安
20	痕记	痕痕
21	小祖宗 1.0 魔术师	自由鸟
22	馥鳞	消失宾妮
23	童年是孤单的冒险	简宇
24	远歌	蒲宫音
25	恋爱习题与假面舞会	爱礼丝

图书在版编目（CIP）数据
临界·爵迹Ⅱ/郭敬明 著 武汉：长江文艺出版社，2011.1
ISBN 978-7-5354-4556-8
I. ①临… II. ①郭… III. ①长篇小说-中国-当代 IV. ①I247. 5
中国版本图书馆CIP数据核字（2010）第104975号

临界·爵迹Ⅱ

郭敬明 著

出品人：郭敬明
选题策划：金丽红 黎 波
项目统筹：阿 亮 痕 痕
责任编辑：陈 曦
助理编辑：庄 宁
特约编辑：痕 痕
封面设计：胡小西
装帧设计：ZUI Factor
媒体运营：赵 萌
责任印制：张志杰

出版：湖北长江出版集团 长江文艺出版社
电话：027-87679310
传真：027-87679300
地址：湖北省武汉市雄楚大街268号湖北出版文化城B座9-11楼
邮编：430070
发行：北京长江新世纪文化传媒有限公司
电话：010-58678881 传真：010-58677346
地址：北京市朝阳区曙光西里甲6号时间国际大厦A座1905室
邮编：100028
印刷：三河市鑫利来印装有限公司
开本：700×1000毫米 1/16 印张：15
版次：2011年1月第1版 印次：2012年2月第14次印刷
字数：230千字

定价：22.80元

sina新浪读书 book.sina.com.cn

我们承诺保护环境和负责任地使用自然资源。我们将协同我们的纸张供应商，逐步停止使用来自原始森林的纸张印刷书籍。这本书是朝这个目标前进迈进的重要一步。这是一本环境友好型纸张印刷的图书。我们希望广大读者都参与到环境保护的行列中来，认购环境友好型纸张印刷的图书。